MW01095011

Un caso indefendible

(Novela inspirada en experiencias reales)

José Custodio Sánchez Morante

Un caso indefendible
Una obra de José Custodio Sánchez Morante
Edición: Grupo Olivo, c.a., Ciudad Bolívar, Venezuela.

Editor: Adriana Olivares
Corrección: María Ron
Portada: Patricia Reyes / Emily Moreno
Diagramación: Gretsy Yánez

ISBN: 978-980-7804-14-1
Depósito Legal: BO2021000138

Impreso por Gráficos Lauki

A Dios...

No concibo el ejercicio del derecho penal sin tener amor en tu corazón. Agradezco, en consecuencia, el recibido por mis madres, Iris Morante y Carmen Castellanos, y padre, José Custodio, que me hicieron el hombre que soy hoy.

A mi dulce Heliana por su paciencia y apoyo incondicional.

A mis familiares, profesores, maestros, jefes, amigos y compañeros de trabajo que de manera directa e indirecta, coadyuvaron a mi formación.

A mis enemigos, que tanto me han impulsado en mi carrera.

Y por último, me agradezco a mí, por no desfallecer y haber logrado una vez más que la disciplina se le imponga a la adversidad.

Índice

Esta novela está inspirada en algunas experiencias reales de la profesión jurídica. Sin embargo, los sucesos y personajes retratados en esta obra son completamente ficticios.

Prólogo

¿Defenderías a alguien acusado de abuso sexual? Probablemente, quien responda esta pregunta lo haría desde el prejuicio, pero como abogado defensor solo tienes una única respuesta, y es SI.

El tribunal había fijado la audiencia a las 11 de la mañana. Era 7 de enero de 2020, y el frío se mantenía aún como si fuese diciembre en La Capital. Esta era la onceava audiencia de este juicio tan largo y complejo. Como era costumbre, llegué al menos media hora antes, jamás permitiría que una audiencia fuese diferida por una causa imputable a mí, y menos por impuntual.

Alan, mi cliente, estaba tan nervioso como siempre, pero al mismo tiempo parecía contento de verme. No nos habíamos cruzado desde la última audiencia a mediados de diciembre, y luego se atravesó el asueto navideño. Yo venía con las energías recargadas pues había tomado unas breves vacaciones en la playa, donde había logrado descansar y despejar la mente.

Los tribunales, y en líneas generales la ciudad, estaban más solos que nunca. Supuse que tal vez seguían de vacaciones navideñas. En aquellos lúgubres pasillos de los tribunales penales reinaba un silencio prácticamente sepulcral. A lo lejos, se escuchaba un alguacil dando instrucciones para que dejaran subir de los calabozos a un nuevo reo, el cual iban a presentar en uno de los tribunales más tarde. Había unas personas cercanas al reo que parecían ser sus padres, estaban desconsolados llorando, afirmando que su familiar era inocente. Todos dicen eso —pensé para mí mismo.

— ¿Por qué llevan a ese hombre así? —preguntó intrigado Alan, manteniendo la vista en la escena.

— Por robo u homicidio, son los delitos más comunes. —me fui por la respuesta más lógica, aunque Alan no pareció convencerle.

Ambos nos quedamos observando con cautela la situación, ya casi era la hora de nuestra audiencia. Nos llamó otro alguacil para que entráramos a la sala en la que ya estaba el fiscal, el secretario y la juez en sus respectivos asientos. La brisa fría que recorría sin piedad el lugar fue nada en comparación con lo que sentimos cuando la juzgadora manifestó con voz firme una decisión que sería en definitiva la que marcaría el final de este largo caso.

CAPÍTULO 1
RETARDO PROCESAL

Año 2019

Sigo mi ruta por la Gran Avenida camino al centro comercial donde está ubicada mi oficina. Estaba a buen tiempo para encontrarme con un viejo amigo de la universidad, Oliver. El día de ayer me había llamado muy desesperado, pero yo estaba ocupado, de una audiencia a otra en los tribunales penales. Desde que Oliver se fue a Chile mantuvimos contacto por mensajes en redes sociales. Casi no teníamos tiempo para largas tertulias como antes. Pero, alcancé a decirle que mañana, es decir hoy, le haría una videollamada desde mi oficina para conocer su urgencia.

Recuerdo que antes de ejercer mi carrera de manera privada, adquirí mi experiencia en los tribunales y la Defensoría Nacional de Oficio. Donde llegué a tener a mi cargo al menos 1200 causas. ¡Era una lo-

cura! En un día podía tener hasta diez audiencias distintas. Pero yo era muy jóven y hacía las cosas con mucha energía y vigor, más cuando se contaba con un buen sueldo y ganas de demostrarle al mundo de qué estabas hecho. Es mucho más difícil cuando en tus antecedentes está ser hijo de una prestigiosa juez, allí el esfuerzo es doble, debía demostrar que era bueno para no vivir bajo la sombra protectora de mi madre quien ya había puesto la vara muy alta después de una vida llena de éxitos profesionales. Eso hizo que buscara todas las formas y maneras de no coincidir en los mismos circuitos donde ella era juez para así labrar mi propio camino. La especialización en derecho penal sin duda me brindó valiosas herramientas, pero fue en la Defensoría Nacional de Oficio donde me formé verdaderamente como abogado penalista.

Logré estacionar mi vehículo, un sedán ni tan viejo ni tan nuevo, funcional para desplazarme sin llamar la atención. Apresuré mi paso hasta tomar el ascensor que me llevaría al piso 7. Caminé hasta la puerta que indicaba ser la oficina 7-C. Tenía una placa señalando que ese era mi bufete, «Morante y Asociados». Ya casi eran las 8 de la mañana, entré y dejé mi portafolio sobre el escritorio. Tomé rápidamente el teléfono y marqué el contacto de mi amigo Oliver Hernández. Al cuarto repique contestó.

— Buenos días, hermano, ¿cómo estás? —Le dije a Oliver, apenas vi su rostro un poco demacrado en la pantalla.

— ¿Hermano, qué más? Todo bien por acá, tú sabes, normal. Y tú, ¿cómo estás? —dijo apresurado Oliver, realmente tenía la apariencia de alguien 10 años más viejo, y no de un hombre de poco más de treinta.

— Muy bien, devolviéndote la llamada. Ayer te escuchabas muy angustiado, asumí que tienes una urgencia. —Le dije para que fuera al grano.

— Sí, algo grave, ando desesperado. ¿Recuerdas el caso de mi primo Alan? —Me preguntó intrigado.

— Sí claro, pero refrescarme la memoria. ¿Qué pasó? —En realidad no recordaba absolutamente nada, pero no quise ser descortés.

— Lo denunció la mamá de su hijo hace muchos años por un problema que pasó con el niño. El lleva años con un arresto domiciliario esperando su juicio, pero me enteré, a través de un amigo alguacil, que le van a revocar la medida para meterlo preso. Como familia estamos muy angustiados por esta situación ¡Necesitamos que nos ayudes! —Me dijo sin titubear o siquiera pestañear.

Le pedí los datos de su primo, su número de expediente y de tribunal para verificar la información. Alan Manzano, expediente número 7254-16 y tribunal trigésimo tercero (33°) en funciones de juicio. Anoté rápidamente en mi agenda. Luego colgué la llamada. Aquí es cuando tienes que ser muy rápido como penalista para hacer lo que tienes que hacer, sin más dilaciones. Tomé nuevamente mi portafolio y salí rápido de la oficina rumbo al Tribunal. Sé que aún yo no estaba juramentado en ese expediente, pero me sentí comprometido en investigar qué pasaba con el primo de mi buen amigo Oliver, Alan.

Ya en el Tribunal solicité hablar con el juez encargado. Cuando me dicen: «Es la juez Maritza Tarazona», inmediatamente recordé que la conocía de vista. Ella, una mujer blanca, alta, delgada y de largo cabello negro, es además muy elegante, circunspecta e inteligente, pero también dura e implacable. Lleva años en el mundo judicial y, por sus actuaciones, se ha ganado el apodo de la «Dama de Hierro» en alusión a la exprimera ministra británica Margaret Thatcher. Nosotros habíamos tenido algunas audiencias en conjunto dos años atrás, cuando estaba en otro tribunal. Caminé con rapidez a su despacho, y me la topo justo cuando ella está saliendo de este.

— ¡Doctora Maritza! —Le dije con firmeza para frenar su andar. Ella me miró de arriba abajo esperando que continuara con mi petición— ¿Cómo está?, siento interrumpir su salida, pero necesito conversar con usted sobre un caso que acaba de llegar a mis manos, se trata de un hombre llamado Alan Manzano. —continué casi sin pausas, esperando que ella reconociera el caso del que le hablaba.

— Entiendo su premura doctor, pero justo voy camino a una reunión importante. —dijo en tono pausado.

— Sí, doctora, le entiendo, y me disculpo por retrasarla. Pero es importante lo que necesito hablarle, es sobre uno de los casos que lleva su tribunal. —Insistí.

— Lo escucho, doctor. —dijo la jueza, soltando un leve suspiro de resignación.

Le relato los pocos datos que conocía sobre el caso y prácticamente, de manera inmediata, me interrumpió cuando reconoció el mismo, y me indicó que efectivamente había decidido revocar la medida que tenía Alan porque «...no acudió a los llamados del tribunal», dijo con calma. Resulta que, para ese entonces, ese Tribunal comenzó a estar a cargo de la juez Maritza Tarazona, quién recibió ese despacho apenas 6 meses antes, y estaba tratando de ponerlo al día. Fue cuando evidenció que el caso de Alan presentaba un inmenso retardo procesal y por eso había decidido dar inicio a su juicio, el cual ya le había fijado 3 audiencias en las que el acusado no había comparecido.

— Estoy seguro que el acusado no ha recibido ninguna boleta de notificación por parte de este tribunal, y mucho menos una que ordene su traslado —dije asumiendo la situación—. Pido verificar las resultas de dichas boletas en el expediente, por favor.

— ¿Está claro doctor de lo que está pidiendo? Me pide seguir retrasando una decisión que ya tomé, justo tengo en mis manos la decisión impresa lista para firmar, mire —dijo mientras sacó entre sus papeles la misma. Efectivamente, solo faltaba su rúbrica. ¿Por qué llevaba la decisión con ella? Me pregunté de manera incrédula.

— Estoy convencido, doctora, que su trabajo es impecable y justo. No quiero que me malinterprete, no pongo en duda su decisión. —Tomé un respiro antes de continuar—, pero reconsidere esa decisión antes de que la firme, es muy probable que el acusado realmente no esté al tanto de ninguna de estas notificaciones, sino, realmente yo no estuviese aquí para investigar y procurar su defensa.

— Camine doctor, aquí estamos discutiendo sin evidencias, verificaremos el expediente, pero, de resultar que las boletas si fueron practicadas, continuaré con el proceso, este tribunal no puede seguir con dilaciones en los juicios —dijo la juez mientras reanudaba su paso, yo le seguí y agradecí apresuradamente—. Aún no me dé las gracias, doctor, solo vamos a validar un punto en desacuerdo.

Volvimos a su despacho y le pidió al secretario ubicar el expediente, el cual verificó por sí misma, pudiendo evidenciar que en efecto las boletas de notificación sí se habían enviado pero, por alguna razón, nunca se habían practicado, ni siquiera habían salido de alguacilazgo. ¡Lo sabía! Fue lo que pensé. No dudé en solicitarle, una vez más a la juez, que reconsiderara su decisión argumentando que él mismo no había obviado los llamados del tribunal. Ella por suerte, como dije, aún no había publicado dicha decisión. Demoró en responder unos minutos, mientras lo meditaba.

— Esta situación realmente es irregular… Está bien, no procesaré la orden de aprehensión, pero el juicio continuará y está fijado para el 20 de febrero de este año —Aseveró con firmeza—. Así que le sugiero, doctor, que se apure en juramentarse lo más pronto posible para llevar este caso y tener acceso al expediente del acusado.
— Claro que sí, doctora. —Me apuré en responder, seguía contra reloj para atender este caso, y aún me faltaba conocer a profundidad el expediente de Alan.
— Ordenaré el traslado inmediato de Alan a la sede del tribunal, para que usted se juramente como su abogado defensor y así poder entregarle copias del expediente. —Señaló.
— Gracias, doctora. —Salí sin tanto protocolo, había ganado un poco de tiempo, pero no sabía si era suficiente hasta que conociera las actuaciones.

Al día siguiente, se materializó todo. Mi juramentación y acceso al expediente de Alan. Ahora sí, volvía a correr el reloj. Las piezas del tablero de ajedrez comenzaban a moverse, y yo como el defensor, abogado José Custodio Sánchez Morante, jugaba con las negras, las que se mueven segundo, lo cual supone una leve desventaja.

Estando en mi oficina, comencé a leer cada línea de los documentos en mis manos: «Alan Manzano se le imputa el delito de Abuso sexual a un niño». Y el delito se agrava más, pues ese niño es su hijo de 5 años.

CAPÍTULO 2
ALAN MANZANO

Año 2004

Mientras yo estaba estudiando derecho y trabajaba en un tribunal, simultáneamente, Alan Manzano se acababa de graduar de publicista de una escuela técnica. No estábamos ni cerca de conocernos. Para aquel entonces él era un hombre de 22 años, de estatura mediana, tez muy blanca, cabello crespo negro, contextura gruesa, extrovertido, alegre, espontáneo y tenaz. Gracias a su personalidad avasalladora era muy popular entre las mujeres, por lo que cada viernes por la noche era normal verlo en un bar de la localidad consumiendo alguna bebida en compañía de sus múltiples amigos o de una nueva conquista. También era muy común verlo conducir a toda velocidad, en su escarabajo amarillo del año '97, por las calles de la ciudad. Esto si, en compañía de su mejor amigo Frankie, quien compartía el mismo amor y pasión hacia el mundo del automovilismo.

Alan vivía en un modesto apartamento en compañía de su hermana Lucía, quien es 5 años mayor que él; su madre, la señora Isabel Hernández; y su padre, el señor Augusto Manzano; todos discretos y de muy pocas palabras a diferencia de las muchas que dice Alan. Todo marchaba normal o sin sobresaltos en un hogar si se quiere convencional, al menos hasta que Alan conoció a Kamila Camacaro.

Kamila es una joven morena, delgada, de estatura mediana y de cabello largo castaño y rizado que enamoró a Alan desde el primer día que lo atendió en el bar «The Handsome», donde era mesonera. Tenían mucho en común y, por ello, a nadie le extrañó que iniciaran una relación llena de alcohol, sexo y alguna fumada de un porro de marihuana.

A la señora Isabel nunca le agradó Kamila, consideraba que se estaba aprovechando del amor que su hijo le tenía para sacarle dinero. Pero tampoco es que Alan fuese un hombre muy adinerado a quién se le pudiese sacar mucho. Tal vez eran celos de madre y ya.

Existen dos días que cambiaron por completo la vida de Alan, el primero, la noche del 23 de marzo del año 2004, cuando Alan luego de una noche de tragos y conversaciones profundas y, a la vez sin sentido con su buen amigo Frankie, se desplazaba a toda velocidad en su escarabajo de cuatro ruedas por una vía que prácticamente transitaba a diario. El problema del alcohol es que muchas veces te hace confiar en tu pericia, y en una curva inofensiva en virtud del exceso de velocidad, pierde el control del vehículo y este se voltea.

En urgencias, ya tenían parte médico para cada una de las víctimas. Alan tuvo traumatismos en varias partes del cuerpo; fractura de cráneo; conmoción cerebral severa y pérdida del conocimiento. Mientras que Frankie ya no podía contar su versión de los hechos, pues tuvo la desdicha de producir la fractura de primera vértebra cervical con sección medular por politraumatismo debido al accidente de tránsito. Murió en el acto. Dicho suceso se le informó a Alan muchos años después.

Alan estuvo inconsciente e intubado por 3 meses. Al despertar, ocurrió lo que ya anticipaba el médico neurólogo tratante, él no recordaba nada. Además, presentó una evidente «disartria» o dificultad para pronunciar que, seguramente, infería problemas mayores. Aunque eso era lo de menos, la fractura de cráneo que tuvo había dejado graves secuelas neurológicas y psicológicas evidentes, que requirió la pronta intervención de un médico psiquiatra.

Inteligentemente su familia lo llevó en primera instancia con uno de los psiquiatras con mayor prestigio, se trataba del doctor Francisco Rojas, profesor de medicina legal a nivel de pregrado y postgrado de una de las universidades de mayor renombre del país, quien seguramente como a mí, les dio clases a múltiples penalistas. Era médico psiquiatra, incluso con formación en Londres, asesor externo de la Defensoría Nacional de Oficio, profesor de psiquiatría forense, medicina legal, psiquiatría clínica y presidente de la Sociedad de Medicina Forense.

El nuevo Alan ya no era un hombre alegre. Más bien era tímido e introvertido. No recordaba absolutamente nada de su vida antes del accidente y ni siquiera el hecho como tal. Además, tenía problemas para conciliar el sueño, episodios psicóticos, depresivos e hipomaníacos. Para lo cual le recetaron además de la terapia, múltiples medicamentos como: Lamotrigina 50 mg BID, para tratar epilepsia y el trastorno bipolar; un antipsicótico llamado Olanzapina dispersable 5 mg/OD, el cual también es un medicamento indicado para tratar enfermedades como la esquizofrenia, cuyos síntomas son oír, ver o sentir cosas irreales, creencias erróneas, suspicacia inusual y volverse retraído; y Levomepromazina 100 mg/HS, fármaco antipsicótico que reduce la ansiedad, indicado para el tratamiento de esquizofrenia, psicosis agudas transitorias, psicosis maníacas, orgánicas y tratamiento a corto plazo de los síntomas prominentes de psicosis como parte de un trastorno de la personalidad.

Con el tiempo y las terapias también sería tratado con: Venlafaxina 150 mg al día, un antidepresivo inhibidor de la recaptación de serotonina y norepinefrina; Zolpidem 10 mg al acostarse, un hipnótico que se usa para el tratamiento a corto plazo del insomnio en adultos; y Quetiapina 25mg/

HS, utilizado para tratar la depresión bipolar, como la tristeza, depresión, sentimiento de culpabilidad, falta de energía, apetito e insomnio.

Como ven, la vida de Alan había cambiado radicalmente. Y lo más duro aún estaba por venir.

CAPÍTULO 3
LAS DESGRACIAS NUNCA LLEGAN SOLAS

Año 2004, después de 5 meses de hospitalización...

— Alán, estoy embarazada —dijo Kamila sin mucho tacto a un Alán recién dado de alta, pero con un diagnóstico poco favorable para su recupe-
ración.

— ¡Ese niño no es mi nieto! —replicó la mamá de Alan, la señora Isabel,
negando de antemano ser la futura abuela de ese niño. La situación en la
casa de los padres de Alan era cada vez más conflictiva.

— Sí lo es, señora, yo soy la mujer de su hijo —dijo con un tono alta-
nero y arrogante.

— Tú eres una aprovechada, mi hijo no está en condiciones para esto
—contestó indignada la señora Isabel.

— En condiciones o no, yo estoy muy preñada de él y debe hacerse cargo
de nosotros —rebatió Kamila, sosteniendo la mirada a la señora Isabel.

— ¡Vete de mi casa, vividora! Eres una aprovechada. —Avanzó los pocos pasos que la separaba de Kamila para empujarla hacia la puerta de salida de la habitación.

— Diga lo que quiera, señora. —Se zafó del agarre de Isabel—. Será abuela y su hijo es el padre, y vendré todas las veces que sea necesario hasta que Alan se haga responsable. —Concluyó volteándose para salir e intentar regresar otro día.

Alan no sabía qué reacción mostrar. Se limitó a seguir bajo un intenso tratamiento sin entender mucho de lo que pasaba a su alrededor. Kamila trató de visitarlo algunas veces más durante su embarazo, intentó persuadir a la madre de Alan de querer a su hijo y al futuro nieto que le daría, insistió en que ella era la mujer que su hijo había escogido para hacer una familia. Eso solo generó más tensión entre las mujeres, más porque Alan no estaba en capacidad de confirmar o negar nada.

Al poco tiempo nació Ricardo. Un niño bastante parecido a Alan, quien finalmente reconoció con la autorización de su madre. Y con todo y eso, solo pudo ver a su hijo un año después de haber nacido.

Para ese entonces, Alan ya caminaba con cierta normalidad. Sin embargo, seguía presentando mucha dificultad para expresarse, también tenía problemas de visibilidad debido a todas las patologías neurológicas que presentaba. Por su condición, las visitas a su hijo en casa de Kamila eran esporádicas.

El señor Juvenal Camacaro, un hombre de piel oscura, poco más de un metro ochenta centímetros de alto, delgado, oficial jubilado de la policía, y la señora Beatriz Galindo, una mujer de piel morena y cabello rizado negro como la noche, de naturaleza muy humilde, quien cumplía a cabalidad su rol de ama de casa, vendedora de helados y tortas caseras a las personas del sector, son los padres de Kamila. Ellos conocieron a Alan a raíz de su accidente y la noticia sorpresiva del embarazo de su hija. La relación con ellos era más de reclamos y exigencias que de familia política: «Alan, necesitamos que nos dejes unos dólares para el niño, tú sabes que la cosa está fuerte en este país, y Ricardo necesita muchas cosas y eso es plata aquí y plata allá», era alguna de las peticiones del padre de Kamila; «¿Para cuándo la boda con mi hija?», secundaba en interrogatorio la mamá de Kamila. Cada vez que salían ese tipo de preguntas, Alan solo se reía apenado sin saber mucho qué hacer o decir.

La condición socioeconómica de la familia de Alan era más que austera. Con los gastos médicos, terapias y medicamentos, se iba gran parte de los ingresos. Alan no estaba capacitado para trabajar, situación que fue declarada en el Seguro Social para que pudiera disfrutar de una pensión mensual para sus gastos. Dinero que apenas alcanzaba para una bolsa de pan. Y si no podía trabajar, mucho menos podía contraer nupcias. Realmente, la fricción entre ambas familias era constante.

Año 2010

Así pasaron los años para Alan. De terapia en terapia, de medicamento en medicamento. Entre momentos de locura y algo de cordura. Cuando lograba tener momentos coherentes lograba salir por su cuenta y visitaba a Kamila, ya no como pareja, sino como padre de su hijo Ricardo con quién solía jugar. Posiblemente tendrían la misma edad mental.

Para aquel entonces Ricardo acababa de cumplir 5 años y acudía a una guardería toda la mañana. Posteriormente, en horas del mediodía, un transporte lo llevaba a casa de la señora Isabel para que lo cuidara. Kamila había pedido ese apoyo para continuar sus estudios de enfermería y poder trabajar. En la noche pasaba por el niño de nuevo. Dicha rutina se repitió cada día por mucho tiempo.

¿Recuerdan que les había dicho que hubo dos fechas que cambiaron por completo la vida de Alan? La primera había sido la noche del 23 de marzo del año 2004, fecha cuando ocurrió su lamentable accidente. La segunda, fue la tarde del domingo 02 de mayo del año 2010. Ese día, al igual que otros tantos, Alan había ido a visitar a Ricardo a casa de Kamila quien se encontraba junto a una compañera de trabajo de nombre Cristina organizando la despedida de soltera de esta última, quien iba a contraer nupcias el mes siguiente. Beatriz, la abuela materna de Ricardo, también se encontraba en el apartamento esa tarde viendo una novela en la televisión de su cuarto. Después de unos minutos, al notar lo que ella describiría a posterior como «ausencia de ruido», Kamila ingresa al cuarto en el que Alan estaba jugando con Ricardo:

— ¿¡Qué le estás haciendo al niño!? —dijo mientras veía a Alan sobre el cuerpo de Ricardo.

— ¡Yo no hice nada! —dijo apresuradamente Alan, separándose lo más rápido que pudo del niño.

— ¿Cómo que nada? ¡Eres un degenerado, bastardo, desgraciado! — gritó Kamila mientras golpeaba a Alan para sacarlo del cuarto del niño.

— ¿Qué está pasando, Kamila? —gritó la señora Beatriz, desde el pasillo camino a la habitación de su nieto.

— Este bastardo estaba abusando de mi hijo —gritó desesperada Kamila señalando a Alan.

— ¡Pero yo no hice nada, no hice nada! —insistió Alan tratando de protegerse de los golpes, saliendo de la habitación para luego salir corriendo de esa casa. Dando inicio al segundo capítulo de su mayor infierno.

Así lo ve y declara Kamila a su mamá: «estuvo sobre el niño simulando movimientos sexuales». Aún desconcertada llama a su padre pensando que al ser él expolicía, sabría qué hacer, así que al día siguiente en virtud de su recomendación, se dirigió a la Fiscalía y a la Oficina con Competencia en Asuntos de Niños y Adolescentes correspondiente a presentar denuncia contra su expareja y padre de su hijo. Ya sentada frente al funcionario formuló su declaración en los siguientes términos:

— Vengo a denunciar que ayer domingo 02 de mayo, aproximadamente a las 5:45 de la tarde, estaba en mi casa con una amiga de nombre Cristina Fuentes, y de repente llegó el papá de mi hijo Ricardo, Alan Manzano a visitarlo. Ellos estaban en el cuarto jugando, y como noté una ausencia de ruido me asomé para saber qué estaban haciendo, y pude ver que él estaba sobre el niño simulando movimientos sexuales, le grité que se quitara, pero él solo decía con miedo «yo no le hice nada». Comenzó a arreglar al niño porque le había desarreglado la ropa, y luego se fue. Después le pregunté a mi hijo qué había pasado y me contó que su papá le estaba besando el cuello, luego se montó encima de él y que empezó a moverse de adelante hacia atrás y que además sentía algo duro en su pipí. Luego se lo comenté a mi papá. Antes de venir aquí, fui a la oficina que se encarga de la protección de los niños a denunciar y cuando lo entrevistaron, le dijo a la muchacha que estaba hablando con él, que el papá ya le había hecho esto en carnavales, y que le había dicho que no me dijera nada. Es todo. —relató Kamila, con pocas pausas. El funcionario iba tomando nota en el ordenador.

— ¿Diga usted la hora, fecha y lugar en que ocurrieron los hechos? —increpó el funcionario mientras seguía tecleando.

— Ayer, domingo 02 de mayo como a las 5:45 de la tarde, en mi casa ubicada en la avenida Los Laureles, sector Olivo, edificio Las Carmelitas, apartamento 7C, La Capital. —repitió Kamila, un poco impaciente, entrelazando sus dedos y presionandolos de vez en cuando.

— ¿Diga usted si alguna otra persona se percató de los hechos? —Prosiguió el joven policía con la misma monotonía con la que inició el interrogatorio.

— Sí, yo estaba con mi amiga y compañera de trabajo Cristina Fuentes, también estaba mi madre Beatriz Galindo. —contestó nuevamente, esta vez sin titubear.

— ¿Diga usted la identificación del ciudadano y donde puede ser ubicado? —Tomando el cursor para seleccionar otras opciones del documento y rellenar los campos vacíos.

— Él se llama Alan Manzano, puede ser ubicado a través del teléfono 0317-2967261, vive en la avenida El Gran Sauce, sector Los Llorones, apartamento 3-56, La Capital. —manifestó sollozando.

— ¿Diga usted qué vio cuando entró al cuarto para saber qué hacía su hijo? —preguntó intrigado el funcionario.

— Vi cuando él estaba encima de mi hijo haciendo movimientos sexuales y le grité que se quitara. —manifestó con la misma firmeza que en las respuestas anteriores.

— ¿Desea agregar algo más a la presente denuncia? —Levantó la mirada el funcionario y detuvo sus manos en el aire antes de seguir escribiendo.

— Espero que se pudra en la cárcel. —exclamó sin contemplaciones, como si de una sentencia se tratara.

El nuevo infierno en la vida de Alan ya se había desatado y la formalización de la denuncia de Kamila lo confirmaba. Por lo que pocos meses después, específicamente el 25 de julio de ese año 2010, fue aprehendido por una comisión de la Policía Científica en virtud de una orden de captura que solicitó la Fiscalía Capital y puesto a la orden de la Fiscalía Tercera con competencia en delitos sexuales. En las próximas horas se efectuará la audiencia de presentación ante el tribunal competente.

CAPÍTULO 4
AUDIENCIA DE PRESENTACIÓN

Año 2010

Ser señalado de algo, aún no te hace culpable. Menos cuando todavía no hay suficiente evidencia incriminatoria. En la «Audiencia de Presentación» todavía no se cuenta con todas las pruebas relacionadas con un caso, salvo con aquellas diligencias de investigación que pueden y deban ser practicadas y recabadas al momento. Con base a esos elementos, el fiscal solo puede imputar al detenido un delito provisional, el defensor esgrimirá sus alegatos, el imputado declarará si lo desea y el tribunal decidirá si acuerda la precalificación sobre el delito atribuido, y más importante aún si decide que el imputado se mantenga durante el proceso privado de libertad o no.

Es importante que sepan que en esta audiencia no se está debatiendo, ni mucho menos decidiendo sobre la culpabilidad o inocencia del imputado. Para eso está el juicio. En esta audiencia solo se resuelven las situaciones que les acabo de plantear.

Alan, para aquel entonces, fue defendido por el prominente bufete capitalino de mi colega Karen Ontiveros y su socio Arnaldo Fuenmayor. Ambos con mucha experiencia en materia penal. Habían sido fiscales de la Fiscalía Capital años antes de ejercer de manera privada. Al final, muchos hacemos esa transición de lo público a lo privado más temprano que tarde. Pero, para mala suerte de Alan, su fiscal era una de las mejores, se trataba de la abogada Alicia Bracamonte, una mujer obesa, de cabello corto y castaño que siempre llevaba peinado con un muy pronunciado copete, y cara de muy pocos amigos. Siempre olía a perfume fuerte y cigarros, sus allegados la llamaban *Tronchatoro* a sus espaldas, con motivo del personaje de la popular película *Matilda*. Tenía 20 años en la institución y, por ende, mucha experiencia en la materia. Además, tenía fama de ser inquisitiva y despiadada con este tipo de casos, que pocas veces perdía.

El final de Alan comienza con la declaración que hizo su hijo, Ricardo, cuando su madre interpuso la denuncia, señalándole ampliamente como su agresor: «Mi papá Alan me tocó mi pipí, me besó el cuello y se acostó encima de mí. Luego puso su pipí encima del mío y después me lo colocó en el pompi. Me dolía un poco, él se movía muy fuerte, yo le dije que se bajara, pero no me hizo caso».

A eso se le suma, el examen forense efectuado al niño sobre su humanidad. Este infería un abuso sexual, específicamente «mucosa anal discretamente congestiva, con esfínter hipotónico y protrusión de pared en zona VI, que sugiere signos de violencia sexual crónica». El pronóstico no es muy alentador.

La audiencia se celebró al día siguiente, durante la tarde del 26 de julio, en el tribunal quincuagésimo séptimo (57°) de primera instancia en funciones de control del distrito centro de La Capital, en la causa signada bajo el número 42771, a cargo del juez Jorge Segundo. Él era un hombre gordo, de nariz respingada y cabello negro grasoso, evidentemente pintado para disimular sus canas, cojo de la pierna izquierda por lo que llevaba un bastón negro con una cabeza de león plateada en la punta. Tenía poco tiempo en el puesto como juez, pues gran parte de su carrera se había desempeñado en el Fisco Nacional. Las malas lenguas decían que su ascenso no era precisamente por meritocracia.

— Si no lo meten en la cárcel, seguro se fuga, porque sabe que se comió la luz, la piltrafa esa, meterse con su hijo, ese tipo de animales no deberían caminar sobre la tierra. —aseveró con rabia la fiscal Bracamonte al juez Segundo, mientras caminaban en los pasillos de los tribunales—. Ese hombre cree que yo me chupo el dedo, pretende el muy imbécil hacerse pasar por enfermo mental para salirse con la suya, ya verá lo que es bueno. —continuó Bracamonte.

— Bueno, mi doctora, se han visto casos… Vea la cara de loco que tiene —replicó el juez.

— Mi olfato no se equivoca, doctor —contestó Bracamonte mientras encendía un cigarrillo a pesar del anuncio de «no fumar».

— Más sabe el diablo por viejo que por diablo. —rió el juez Segundo ante la actitud de la fiscal—. Ahí vienen los defensores, mejor que ni nos vean hablando doctora —replicó de nuevo el juzgador mientras ingresaba a su despacho.

— Entremos y acabemos de una vez con esto —manifestó con arrogancia la fiscal Alicia Bracamonte.

La imputación fiscal fue tal y como se esperaba. Sin contemplaciones de ningún tipo. La doctora Bracamonte consideró que tenía todos los elementos de convicción para enjuiciar a Alan, y en ese proceso mantenerlo privado de su libertad debido a la gravedad del delito atribuido.

Delito atribuido o imputado: Abuso sexual, comúnmente conocido como «Violación», previsto y sancionado en la ley especial que rige la materia, que establece: «Quién realice actos sexuales con un niño o niña, o participe en ellos, será penado con pena de prisión de dos a seis años».

Aquí se suma un punto más de gravedad al asunto para Alan: «Si el acto sexual implica penetración genital o anal, mediante acto carnal, manual, o la introducción de objetos; o penetración oral aun con instrumentos que simulen objetos sexuales, la prisión será de quince a veinte años».

Y si no fuera poco, esto lo destruiría por lo que le quede de vida: «Si el culpable ejerce sobre la víctima autoridad, responsabilidad de crianza o vigilancia, la pena se aumentará de un cuarto a un tercio más».

El primer y segundo apartado de este artículo de la ley es el que le sería imputado a Alan, con la agravante que implicaba el aumento de un cuarto a un tercio de la pena por tratarse de una figura de autoridad, responsabilidad de crianza o vigilancia con la víctima. Al tratarse de un caso donde la persona supuestamente abusada era hijo del agresor, la consecuencia sería una pena de casi 25 años de prisión.

La Fiscalía había argumentado muy bien su posición y petición en aquella audiencia, apoyándose principalmente en la declaración de Ricardo, evaluación forense y testimonio de su madre Kamila, lo que dejó prácticamente sin argumentos válidos a los abogados defensores. Ellos se concentraron principalmente en el punto sobre el supuesto peligro de fuga de Alan que insinuó la Fiscalía para procurar mantenerlo privado de libertad. La defensa adujo que no existía tal peligro, al ser Alan un paciente que requería múltiples cuidados médicos, tratamiento farmacológico y psiquiátrico. Sin embargo, sin titubear, el juez del tribunal acordó por completo la solicitud fiscal en cuanto al delito atribuido y a su reclusión en una cárcel, ordenándose de inmediato su traslado a Cancerbero I.

— ¡Nunca pierdo! —dijo la fiscal Bracamonte saliendo de la sala de audiencia, regodeándose de gloria frente a los presentes.

— Gracias, doctora. —manifestó Kamila al escucharla, estirando su mano para saludar a la abogada Bracamonte.

— No le doy una semana de vida en la cárcel, señora. —manifestó con vehemencia la fiscal, mientras estrechaba su mano impregnada de nicotina.

— Qué así sea. —Sentenció Kamila.

Procesalmente hablando, la Fiscalía tiene 45 días, a partir de esa audiencia en que se decretó la medida privativa de libertad, para culminar con toda la investigación respecto al caso y, eventualmente, presentar lo que en derecho penal se conoce como un acto conclusivo, que se clasifican en: sobreseimiento, archivo fiscal o acusación. Las dos primeras, básicamente se refieren a que no existen elementos de convicción suficientes para enjuiciar al imputado, pero en un caso como este parecía obvio que lo que deberíamos esperar era una fuerte acusación.

El desarrollo del caso no pintaba bien para Alan. Él seguía detenido en la comisaría policial gracias a un trámite administrativo que retrasaba su reclusión, tal como lo había ordenado el tribunal. Estaba en un lugar de tránsito donde, básicamente, todos los días ingresaban y excarcelaban a los detenidos. Él fue mantenido en una pequeña oficina junto con tres funcionarios que estaban detenidos por un delito en materia de corrupción, y donde sus familiares diariamente debían llevarle sus comidas y demás productos de aseo personal. No tuvo mayor espacio para movilizarse o asearse. Tampoco es un lugar para que un privado de libertad esté por mucho tiempo. Aun así, la vida en una comisaría, podríamos decir que «en teoría», es menos traumática que en una cárcel, donde en virtud del delito atribuido seguramente llegarías con una condena de muerte.

— Te esperamos allá. —dijo con un tono amenazador otro privado de libertad que estaba siendo trasladado a Cancerbero I, el mismo a donde fue remitido Alan.

— ¡...pero si yo no he hecho nada, yo no hice nada...! —repetía Alan mientras frotaba sus manos sudorosas con evidente nerviosismo. Sus abogados defensores solo podían decirle que se calmara y darle palmadas en la espalda como consuelo.

Su defensa ejerció un recurso de apelación en contra de la decisión que decretó la medida privativa de libertad, aduciendo lo mismo que habían manifestado durante la audiencia de presentación, que Alan era una persona que padecía graves trastornos de índole psiquiátrico, que ameritaba tratamiento y cuidados rigurosos de por vida, y a tal fin consignaron informes médicos actualizados de su médico tratante para la época, en consecuencia solicitaron una medida menos gravosa que le permitiera tener el juicio fuera de una cárcel. Dicho recurso fue evaluado por la Corte de Apelaciones, declarando «con lugar» la apelación interpuesta por la defensa, fundamentándose en el derecho a la salud, cambiando la medida privativa de libertad por la medida cautelar sustitutiva de libertad prevista en el Código Procesal Penal referente al arresto domiciliario.

Un decreto de privativa de libertad supone una derrota para los defensores, sin embargo, gracias a la interposición del recurso de apelación, la Corte de Apelaciones decidió que Alan ya no iría a una cárcel, sino que estaría detenido en su casa mientras continuaba su proceso, situación que tal vez le salvó de una muerte casi segura en prisión. Como defensores hay que dar la pelea hasta el último momento, hasta el último intento, hasta el último aliento. Nunca dar nada por sentado o perdido, nunca rendirse.

CAPÍTULO 5
ACUSACIÓN

Año 2010

La Fiscalía había culminado la investigación y presentado, en conse-cuencia, el acto conclusivo que ya esperábamos, la acusación contra Alan por la comisión del delito de abuso sexual con penetración[1]. Una vez pre-sentada, el tribunal, en teoría, debería fijar dentro de los 15 días siguientes la audiencia preliminar, audiencia en la que el fiscal deberá formalizar dicha acusación de manera verbal, la defensa aducir los argumentos que a bien considere, el imputado admitir hechos si lo desea, y el tribunal con base a lo que escuche, admitirá o no la acusación. De hacerlo se producirá

---

1 La acusación es un documento escrito que contiene de manera detallada el resultado final de la investigación fiscal, la cual señala la relación clara, precisa y circunstanciada de los hechos, los elementos de convicción recabados, las pruebas promovidas y una solicitud formal de enjuiciamiento.

el pase del expediente a un tribunal de juicio para que ahora sí se discuta la inocencia o culpabilidad del imputado. Claro que, para llegar a juicio, que fue cuando yo entré a asumir la defensa, aún faltaba mucho camino por recorrer.

La Fiscalía esgrimió la acusación en los siguientes términos:

«Se dio inicio a la correspondiente investigación penal en fecha 03 de mayo de 2010 en virtud de la denuncia interpuesta por la ciudadana Kamila Camacaro, en su condición de representante legal y madre de la víctima del niño Ricardo Manzano de 5 años de edad, quién manifestó que el padre de su hijo ciudadano Alan Manzano, fue a visitarlos a su casa ubicada la avenida Los Laureles, sector Olivo, edificio Las Carmelitas, apartamento 7C, La Capital, donde solía jugar con el niño en el cuarto; al no escuchar nada se asomó a la habitación en cuestión para verificar que todo estuviese bien y pudo observar que el ciudadano Alan Manzano se encontraba encima del niño haciendo movimientos sexuales. Le gritó que se quitara y el mismo asustado manifestó «Yo no le hice nada», luego arregló al niño y se fue. Posteriormente, la ciudadana Kamila le pregunta a su hijo qué había pasado y el niño manifestó que su papá le había besado el cuello, que se montó encima de él y comenzó a moverse de adelante para atrás, que sentía algo duro, el pipí de su papá.

En fecha 05 de mayo del año 2010, esta representación fiscal entrevistó a la víctima de tan solo 5 años de edad, quién manifestó libre de apremio y coacción: «Mi papá me tocó mi pipí, me besó el cuello, se acostó encima, y su pipí duro lo puso sobre el mío, después me lo colocó en mi pompi, me dolía un poquito, él se movía muy fuerte, yo decía bájate de encima, al día siguiente le conté a mi mamá y mi abuela». Situación que fue corroborada con el examen médico legal realizado por el médico forense, doctor Cristian Ariza».

Promovió a su vez los siguientes elementos de convicción y medios de prueba:

- Acta de denuncia efectuada en fecha 03 de mayo del año 2010 por Kamila Camacaro ante la Oficina con Competencia en Asuntos de Niños y Adolescentes y Fiscalía.

- Reconocimiento Legal No. 225, de fecha 04 de mayo del año 2010 practicado a Ricardo, suscrito por el médico forense doctor Cristian Ariza.

- Copia de la partida de nacimiento de Ricardo, que ilustra la edad del mismo y parentesco por consanguinidad con el imputado.

- Acta de entrevista efectuada ante la Fiscalía en fecha 05 de mayo del año 2010 a Ricardo ante la fiscal de la Fiscalía Capital. Quien manifestó:
  «Mi papá Alan me tocó mi pipí, me besó el cuello y se acostó encima de mí. Luego puso su pipí encima del mío y después me lo colocó en el pompi. Me dolía un poquito, él se movía muy fuerte, yo le dije que se bajara, pero no me hizo caso».

- Acta de entrevista efectuada ante la Fiscalía en fecha 11 de agosto del año 2010 a Ruth Gómez, en su carácter de funcionaria adscrita a la Oficina con Competencia en Asuntos de Niños y Adolescentes, que recibió la denuncia del caso para luego remitir a Fiscalía. Quien manifestó:
  «En fecha 03 de mayo compareció la ciudadana Kamila Camacaro, domiciliada en esta jurisdicción, a los fines de denunciar al padre de su hijo, manifestando que el día anterior, aproximadamente a las 6 de la tarde entró al cuarto del niño de nombre Ricardo de 5 años de edad, y al notar que todo estaba en silencio observó que el ciudadano estaba sobre su hijo efectuando movimientos sexuales, le estaba besando el cuello y le tapaba el rostro con un peluche en la cara. Manifestó que el señor estaba con ropa y que temía por su hijo, y que no quería que él se le acercara nunca más al niño. Con base a lo expuesto, se abrió un procedimiento y se libró boleta de notificación al denunciado para que ejerciera su derecho a la defensa, también se entrevistó al niño, quien manifestó que su papá le besó el cuello y se montó sobre él, quien acotó además que su papá tenía el pantalón puesto, que nunca le bajó el suyo y que su mamá se puso muy brava. Igualmente se entrevistó al ciudadano Alan Manzano, quien manifestó que solo estaba jugando y haciéndole cariño a su hijo, y que hace años sufrió un fuerte accidente de tránsito que lo incapacitó. Se dictó medida

de protección dirigida a prohibir el contacto del señor Alan con Ricardo, se ordenó tratamiento psicológico para el niño y se remitió el expediente a la Fiscalía».

- Acta de entrevista efectuada ante la Fiscalía en fecha 12 de agosto del año 2010 a Cristina Fuentes, amiga de la madre de la víctima, por ser testigo referencial de los hechos. Quien manifestó:
«Estos hechos ocurrieron el día domingo 02 de mayo del año 2010, Kamila y yo nos fuimos a su casa a efectuar los preparativos de mi despedida de soltera en virtud de mi futura boda, al cabo de unos minutos llegó el señor Alan Manzano quien se fue a jugar con el niño Ricardo a su cuarto, y unos minutos después en virtud del silencio, Kamila se asomó en la puerta y pegó un grito preguntándoles qué están haciendo, yo me levanto del mueble y veo que Alan sale nervioso y asustado del cuarto sin decir nada y se va de la casa. Le pregunté a Kamila qué había pasado y comenzó a llorar diciéndome que lo vio encima del niño besándolo y tocándolo. Posteriormente llegó el abuelo del niño, el señor Juvenal, quien se sorprendió mucho, y luego de conversar con el niño, confirmó todo lo que ya Kamila le había dicho».

- Acta de entrevista efectuada ante la Fiscalía en fecha 13 de agosto del año 2010 a Juvenal Camacaro, abuelo materno de la víctima y testigo referencial de los hechos. Quien manifestó:
«Esto sucedió el día domingo 02 de mayo del año 2010, yo me enteré el mismo día en la tarde, me sorprendí mucho porque la actitud de Alan no dejaba entrever que era una persona con esas inclinaciones, así que le dije a mi hija que lo denunciara ante la Fiscalía. Me parece increíble que un hombre pueda ser capaz de hacerle eso a su propio hijo».

- Acta de entrevista efectuada ante la Fiscalía en fecha 16 de agosto del año 2010 a Beatriz Galindo, abuela materna de la víctima y testigo referencial de los hechos. Quien manifestó:
«Cuando la señora del transporte llevaba a Ricardo a casa de Alan, este no se quería ir con él, incluso la conduc-

tora del transporte me dijo que el niño se ponía extraño cuando miraba al papá. Alan siempre iba a la casa, en una oportunidad observé que lo besó en la boca y le dije que no hiciera eso pues no era correcto; igual cuando él iba yo siempre estaba pendiente y nunca los dejaba solos. En una oportunidad mi hija estaba con una compañera de trabajo efectuando los preparativos de una boda, yo estaba en mi cuarto viendo televisión, cuando bajé a tomar agua noté que mi hija estaba estresada y que Alan estaba muy nervioso y asustado sentado en la sala, mi hija le pidió que se fuera, él se fue. Yo le pregunté a mi hija por qué estaba así, y me dijo que acababa de verlo besando a Ricardo en el cuello y moviéndose sobre él. Llamé a la señora Isabel madre de Alan, quien enseguida me preguntó qué estaba pasando por cuanto él mismo había llegado muy bravo diciendo que lo habían insultado, y yo le contesté que su hijo había intentado de violar al niño. Ella manifestó que no podía ser, colgó y a los 20 minutos llegó a mi casa con su esposo, el señor Augusto, quienes conversaron con el niño, quien a su vez los llevó a su cuarto, se montó en la cama boca arriba y les dijo que su papá se subió sobre él, lo abrazaba, le dio besos sobre el cuello y cuando se movía sintió una cosa dura abajo. En ese momento la reacción del señor Augusto fue llorar, y la señora Isabel dijo que eso era mentira. Al día siguiente fuimos a denunciar».

- Informe social No. 403 de fecha 18 de agosto del año 2010, realizado a Ricardo, suscrito por el licenciado Antonio Barrios, en su carácter de trabajador social adscrito a la Fiscalía. Quien manifestó en sus conclusiones:
«Se aprecia el niño con comportamiento a su edad cronológica, con vestimenta adecuada a la ocasión, expresivo, con dificultad para ubicarse en fecha y espacio para la narración de los hechos ocurridos con su padre. Impresiona su lentitud al narrar y su timidez al expresarse. Necesidades detectadas: ninguna.
Recomendaciones: Se sugiere tratamiento psicológico».

- Examen Psicológico, realizado a Ricardo en fecha 19 de agosto del año 2010, por la licenciada Susana Ramírez, psicóloga forense adscrita al departamento de psiquiatría de la Policía Científica. Quien manifestó en sus conclusiones:

«Para el momento de la exploración, el nivel de funcionamiento intelectual del consultante se encuentra comprendido dentro de los límites que definen una inteligencia normal-promedio, atención y concentración adecuada.

El consultante se mostró abordable y colaborador durante la entrevista. Captó de forma correcta las instrucciones para realizar las pruebas psicológicas. Emocionalmente es un niño extrovertido, conversador, amigable, de fácil trato, quien muestra adecuada internalización de las normas y valores de acuerdo a lo esperado para su edad cronológica y etapa evolutiva. Es capaz de discernir entre lo bueno y lo malo. Con respecto a los hechos presenta un discurso válido y consistente, refiere acontecimientos que implican conocimientos no acordes a su edad cronológica. Para el momento de realizar la experticia no se evidenciaron elementos que indiquen enfermedad mental, sin embargo, se recomienda que el niño reciba apoyo psicoterapéutico para prevenir la aparición de futuras patologías a medida que su madurez, tanto intelectual como emocional, le vayan permitiendo comprender la magnitud de los hechos».

Experticia Social No. 333 de fecha 20 de agosto del año 2010, efectuada por el licenciado Wilfredo Domínguez, en su carácter de trabajador social adscrito a la Fiscalía, realizada al entorno familiar de la víctima y del victimario. Quien manifestó en sus conclusiones y recomendaciones:

- ✔ «Durante las entrevistas semi estructurales realizadas se apreció el desvelamiento de los hechos, el niño afectado pertenece a una unión extramatrimonial, es hijo único y actualmente vive con su madre y abuelos maternos.
- ✔ El señor Alan Manzano, pertenece a una familia biparental, y es el segundo de dos hermanos.
- ✔ El ciudadano Juvenal Camacaro, comunicó que su hija y esposa le dijeron que su nieto, de nombre Ricardo, fue víctima de abuso sexual por parte del señor Alan Manzano.

✓ La ciudadana Beatriz Galindo, comunicó que cuando sucedieron los hechos, ella se encontraba en su casa, donde
su hija le manifestó que encontró al denunciado dándole
besos y abrazos al niño, estando el niño afectado en
posición decúbito ventral.

✓ La ciudadana Beatriz Galindo, observó que al momento de los hechos el ciudadano Alan Manzano estaba
muy nervioso.

✓ La ciudadana Beatriz Galindo, señaló que el niño afectado comenzó a cambiar su actitud después que comenzó a
quedarse en la casa del denunciado. Se ponía hiperactivo y en la escuela no quería jugar con otros niños.

✓ La ciudadana Beatriz Galindo, comunicó que en una oportunidad observó al denunciado dándole besos en la boca
al niño.

✓ La ciudadana Beatriz Galindo, comunicó que la señora
encargada del transporte del niño, le manifestó que el
mismo se alteraba cuando lo llevaban a casa de su papá.

✓ La ciudadana Beatriz Galindo, comunicó que cada vez que
se le habla al niño sobre su papá, este se altera y
cambia la conducta.

✓ En la entrevista que se le realizó al ciudadano Alan
Manzano, cada vez que se le preguntaba algo sobre los
hechos se ponía muy nervioso, no obstante, cuando se le
preguntaba acerca de su familia o a hechos ocurridos
en el pasado, no mostraba ningún tipo de nerviosismo.

✓ El ciudadano Alan Manzano, comunicó que antes de su
accidente tenía muchas amigas con las cuales tuvo relaciones sexuales sin protección o uso de preservativos.

✓ El ciudadano Alan Manzano, entendió todas las preguntas
que se le formularon durante la entrevista.

✓ El ciudadano Alan Manzano, señala que sí se montó encima del niño afectado.

✓ La señora Isabel y el señor Augusto, estuvieron nerviosos cuando se les preguntó acerca de los hechos, no
obstante, cuando se les pregunta sobre aspectos generales sobre su hijo, no se pusieron nerviosos.

✓ La señora Isabel y el señor Augusto, comunicaron
que antes del accidente su hijo tuvo muchas parejas
y novias».

- Experticia Psicológica, de fecha 23 de agosto del año 2010, efectuada por el licenciado Jaime Cárdenas, en su carácter de psicólogo adscrito a la Fiscalía, realizado al imputado Alan Manzano. Quien manifestó en sus conclusiones:

  «Entre los elementos encontrados en la presente experticia, se concluye la existencia de una disminución global de las capacidades cognitivas, sin embargo, las mismas no interfieren con el juicio social y su capacidad volitiva.

  Se encontraron indicadores de agresividad, conflictos en las relaciones interpersonales, preocupaciones de índoles somática y metal, así como elementos alusivos a perturbación en el área de la sexualidad dentro de las entrevistas clínicas y pruebas proyectivas efectuadas por el evaluado.

  Emocionalmente, posee un estado de indiferencia afectiva y poca empatía hacia la víctima, que no se puede explicar completamente por efectos de la medicación o el daño orgánico cerebral.

  El evaluado en este peritaje psicológico, admite que tuvo contacto inapropiado con su hijo al asegurar que se le montó encima, infiriéndose por lo tanto que para el momento en que sucedieron los hechos, tenía la necesaria consciencia de sus actos, así como la volición para ejecutar los mismos, a pesar de efectivamente poseer importantes secuelas físicas y mentales derivadas del traumatismo craneoencefálico.

  Se recomienda control psiquiátrico y neurológico continuo, así como rehabilitación del lenguaje y terapia ocupacional».

- Experticia psiquiátrica, de fecha 24 de agosto del año 2010, efectuada por la doctora Sandra Velandia, adscrita al departamento de psiquiatría de la Fiscalía, realizada al imputado Alan Manzano. Quien en sus conclusiones manifestó:

  «Para el momento de la evaluación, se desprende que el ciudadano Alan Manzano padeció un traumatismo craneoencefálico severo, con secuelas que se aprecian hoy día, tales como: dificultad en la expresión del lenguaje, amnesia anterógrada (confusión y olvidos de detalles importantes después del accidente), dificultades en la expresión afectiva, además del uso de medicamentos que pudiesen explicar algunos de los síntomas. De la evaluación de sus informes médicos, se desprende que el ciudadano presenta cambios de personalidad y cambios del estado de ánimo. Es frecuente este tipo de cambios en personas en los que se han producido muchas lesiones, en especial, accidentes traumáticos cerebrales, que como secuelas pueden tener este trastorno que realiza un cambio importante en la persona, ya que presentan crisis de agresividad sin fundamentos, y se le olvidan las cosas más simples, como costumbres, gustos o distracciones.

Tras el accidente, cualquiera que sea la causa, hay una alteración física en el cerebro, en ocasiones difícilmente comprobables, a veces solamente los test psicológicos la encuentran como una alteración psicorgánica, otras veces, en las tomografías se encuentran imágenes pequeñas pero que evidencian la alteración.

De lo anterior se puede concluir, que, para el momento de los hechos, el ciudadano, se encontraba con un nivel de consciencia (juicio y raciocinio) y voluntad conservados a pesar de tener problemas en ciertas áreas cognitivas. Se recomienda mantener tratamiento farmacológico y reiniciar psicoterapia y mantenerla a su vez de manera permanente».

- Evaluación psicológica de fecha 25 de agosto del año 2010, efectuada a la víctima por la psicólogo clínico licenciada Karol Guzmán, adscrita a la Fiscalía. Quien manifestó en sus conclusiones:

«Se observa niño con edad aparente acorde a su edad cronológica, sexo y contexto. Se observa comunicativo, normoproxecico, colaborador, lenguaje comprensivo y volumen adecuado. Se observa tendencia a morderse las uñas (onicofagia), al preguntarle manifiesta que lo hace cuando está nervioso.

Tiende a ser incoherente al describir características de su vida familiar. Psicomotricidad y sensopercepción sin alteraciones. Memoria de evocación y fijación conservada; inteligencia promedio; no evidencia alteración del contenido y curso del pensamiento; no presenta alteración del ciclo del sueño y del apetito.

En las pruebas realizadas, el niño proyecta sentimiento de inferioridad y marcada desvalorización. Denota elevado monto de ansiedad, tensión e irritabilidad. Así como ligeros rasgos depresivos: disminuida capacidad para defenderse y sentimientos de inmovilidad.

Socialmente, tiende a considerar su entorno como hostil y abrumador, por lo que se le dificulta interactuar. Es introvertido y muestra poca energía, experimenta sentimiento de rechazo y sensibilidad a la crítica. Sexualmente se observa un despertar poco común en niños de su edad, ya que denota miedo abrumador ante la idea de un probable daño hecho a sus genitales.

En el área familiar, experimenta necesidad de protección por la figura materna. Hacia el padre, experimenta ambivalencia, pues lo admira y le teme a la vez».

- Reporte de visita domiciliaria de fecha 26 de agosto del año 2010, realizado por el trabajador social licenciado Juan Bermúdez, adscrito a la Fiscalía, efectuado en la vivienda donde habita Ricardo. Quien manifestó en sus recomendaciones:

«Se sugiere a la fiscal que lleva la causa, solicitar a la madre herramientas psicológicas para atender las dificultades de comunicación del niño en el entorno social, como lo son los familiares, compañeros de estudio y amigos.

De igual forma se sugiere, que el niño sea tratado por un especialista en problemas intestinales, dado que presenta de larga data, afecciones que según información de su madre y abuelos, ha empeorado después de los hechos (el niño no controla los esfínteres)».

- Acta de Prueba Anticipada de fecha 21 de noviembre del año 2012 efectuada a la víctima.

Pruebas testimoniales:

- Testimonio de la ciudadana Kamila Camacaro, madre de la víctima y testigo presencial de los hechos.

- Testimonio del señor Juvenal Camacaro, abuelo materno de la víctima y testigo referencial de los hechos.

- Testimonio de la señora Beatriz Galindo, abuela materna de la víctima y testigo referencial de los hechos.

- Testimonio de la señora Cristina Fuentes, amiga de Kamila y testigo referencial de los hechos.

Testimonios de los siguientes expertos:

- Testimonio del licenciado Antonio Barrios, trabajador social adscrito a la Fiscalía, quien efectuó la experticia social a Ricardo.

- Testimonio del licenciado Wilfredo Domínguez, trabajador social adscrito a la Fiscalía, quien efectuó la experticia social al entorno social de la víctima y victimario.

- Testimonio del licenciado Juan Bermúdez, trabajador social adscrito a la Fiscalía, quien efectuó el reporte de visita domiciliaria a la vivienda de la víctima.

- Testimonio de la licenciada Susana Ramírez, psicóloga forense adscrita al departamento de psiquiatría de la Policía Científica. Quien fue la encargada de evaluar a Ricardo.

- Testimonio del doctor Cristian Ariza, médico forense que realizó el reconocimiento legal No. 225 al imputado.

- Testimonio de la licenciada Karol Guzmán, psicóloga clínica adscrita a la Fiscalía, quien efectuó evaluación psicológica a la víctima.

- Testimonio del licenciado Jaime Cárdenas, psicólogo clínico adscrito a la Fiscalía, quien efectuó evaluación psicológica al imputado.

- Testimonio de la doctora Sara Velandia, psiquiatra adscrita a la Fiscalía, quien efectuó evaluación psiquiátrica al imputado.

Pruebas documentales para su exhibición y lectura:

- Exhibición y lectura de la prueba documental, referente a la prueba anticipada efectuada a la víctima. Dicha prueba anticipada fue efectuada dos años más tarde y promovida mediante prueba complementaria.

- Exhibición y lectura de la prueba documental, referente al examen psiquiátrico-psicológico, realizado a Ricardo por la licenciada Susana Ramírez, psicóloga forense adscrita al departamento de psiquiatría de la Policía Científica.

- Exhibición y lectura de la prueba documental, referente al expediente instruido por la funcionaria Ruth Gómez, adscrita a la Oficina con Competencia en Asuntos de Niños y Adolescentes, con ocasión a la denuncia recibida por la ciudadana Kamila Camacaro y que fue remitido a Fiscalía.

* Acta de nacimiento de la víctima.

- Exhibición y lectura de la prueba documental, referente al reconocimiento legal No. 225, realizado a Ricardo por el doctor Cristian Ariza, médico forense.

Como pueden ver la Fiscalía se había tomado muy en serio el caso y había efectuado una investigación que buscó indagar en todas partes, incluido el entorno, psiquis y vida de la víctima y victimario.

Por su parte la defensa promovió las siguientes pruebas:

.

.

.

Sin comentarios.

Tres años después de presentada la acusación, específicamente el día miércoles 29 de octubre del año 2013, fue realizada la audiencia preliminar. La cual fue admitida en su totalidad y se decretó el pase a juicio.

CAPÍTULO 6
PRUEBA ANTICIPADA

Año 2012

Cuando un expediente de abuso sexual llega a tus manos, existen dos pruebas fundamentales que debes verificar a los fines de saber si realmente tienes oportunidad de ganar como defensor. Se trata del examen forense practicado a la presunta víctima y su declaración. Ya observamos anteriormente lo concerniente al examen forense pero, aún no hemos evaluado la declaración de Ricardo. Él señala ampliamente a su papá en la declaración que rinde ante la Oficina con Competencia en Asuntos de Niños y Adolescentes, y Fiscalía. Es la misma de la que se vale la fiscal para que, en primer lugar, priven de libertad a Alan. Pero, como el juicio no ha comenzado, el tribunal aún no ha valorado lo que ocurrió durante la audiencia de prueba anticipada del 21 de noviembre de 2012.

21 Noviembre 2012

Todos estaban en el despacho del juez, alguacil, fiscal, imputado y su abogado defensor. La oficina era bastante pequeña para la cantidad de personas presentes. Al entrar, se podía ver un escritorio bastante amplio con varias carpetas apiladas con documentos, una bandera izada al lado, y tres sillas ocupadas de frente al escritorio y espalda a la puerta de entrada del despacho. El alguacil permaneció de pie junto al imputado. El juez Jorge Segundo leía detenidamente el expediente del caso de Alan. Hoy se realizaría la Prueba Anticipada.

Tocan la puerta y entra la asistente del juez para anunciar la presencia de Kamila junto a su hijo Ricardo. «Bueno, llegaron quienes faltaban, abogados, pido que se retire al imputado para salvaguardar los derechos del niño y poder realizar el interrogatorio», dijo el juez con firmeza. El alguacil acató la orden sin chistar y, extrañamente, la defensa no alegó nada. Es así como Alan solo miró a los presentes mientras es levantado y dirigido a la salida. Al cruzar el umbral de la puerta pudo ver de frente a Kamila y su hijo Ricardo. No entendía por qué estaba allí, quería regresar a su casa, solo jugaba con ese niño pocas veces. Kamila miró a Alan y apuró el paso de su hijo al despacho del juez. El niño estaba muy nervioso y dio un par de traspiés al entrar al despacho.

El juez Segundo, con un oso de felpa en sus manos, dio inicio al procedimiento de prueba anticipada, en razón de la causa seguida en contra del ciudadano Alan Manzano. La fiscal Bracamonte señaló el asiento al lado de ella para que el niño lo tomara y quedara frente al juez. Kamila se quedó apoyada contra la puerta cerrada de la oficina. El juez carraspeó antes de continuar y sostener su mirada en la del niño.

— Me puedes decir tu nombre y edad, pequeño. —preguntó el juez, con una voz gruesa y sin tacto.

— Yo me llamo Ricardo, tengo 7 años de edad, él se me montó encima. —respondió tímidamente, con una voz algo temblorosa.

— ¿Quién? —preguntó el juez con aspaviento, luego de aclarar un poco su garganta.

— Él. —exclamó el niño, aún tímido.

— ¿Quién es él? —Insistió el juez.

— El muchacho. —contestó mientras su mirada estaba fija en sus manos, que apretaba entrelazadas, con leves frotes.

— ¿Quién es el muchacho? —Insistió el juzgador.

— Mi papá. —manifestó un poco más calmado.

— ¿Cómo se llama tu papá? —Volvió a preguntar el juez.

— Alan. — contestó con displicencia.

— ¿Qué más te ha hecho Alan, juegas con él? —preguntó el juez mientras situaba su mano sobre el bastón.

— Si, jugamos pelota y videojuegos. — contestó Ricardo con menos señales de nerviosismo.

— ¿Con quién más juegas? —preguntó de nuevo el juez como quien busca una respuesta incriminatoria.

— Con mis primos. —manifestó Ricardo con absoluta indiferencia mientras observaba al oso de felpa que reposaba sobre el escritorio del juez.

— ¿Son grandes? —Insistió una vez más, el juez Segundo.

— Uno es de 10 años, otro de 8 y otro de 6. —respondía Ricardo fastidiado.

— ¿Te quedas con tu papá? —Continuó el juez.

— Sí, cuando el transporte me lleva de la escuela a su casa. —respondió Ricardo como si fuese obvia la respuesta.

— ¿Hasta qué hora te quedabas? —Otra pregunta.

— En la tarde. —respondió en automático el niño.

— ¿Dormías con tu papá? —Siguió el interrogatorio.

— No, porque mi mamá me venía a buscar. —contestó con calma.

— ¿Cómo jugaba tu papá contigo? —El juez alternaba su mirada de la hoja de interrogatorio al niño, a medida que avanzaba.

— Solo jugábamos pelota y videojuegos. —Ricardo comenzó a jugar con sus piernas, balanceándolas de un lado a otro.

— ¿Se quedaban solos? —Hacía calor, y el juez pasó su mano por la frente para secar el exceso de sudor.

— Sí, pero mi abuela estaba en la sala con mi mamá. —Seguía con calma el niño.

— ¿Él se montó encima de ti? —preguntó el juez cambiando el tono de voz.

— Sí. — contestó Ricardo con voz más firme.

— ¿Estaban desnudos? —preguntó el juez con absoluta seriedad.

— No. — contestó Ricardo con más firmeza aún, ante la mirada incrédula de los presentes.

— ¿Tenías ropa? — preguntó el juez contrariado ante la respuesta anterior.

— Sí. —manifestó el niño.

— ¿Tu papá te tocó tu pene? —Le preguntó el juez viéndolo a los ojos de una manera penetrante.

— No. — contestó Ricardo también viéndolo a los ojos.

— ¿Qué te tocó tu papá? —preguntó el juez después de un leve suspiro.

— Solamente las manos. —contestó Ricardo algo incomodado por la insistencia.

— ¿Alguien te ha tocado tus partes? —preguntaba incesante el juez.

— Solo yo cuando me baño. —respondía Ricardo algo apenado.

— ¿Quién más te baña? —Insistió el juez.

— ¡Yo me baño solo! —exclamó el niño.

— ¿Alguien te ha tocado por detrás o por delante? —Replanteó el juzgador.

— ¡No! —exclamó con vehemencia.

— ¿Quién te llevaba al colegio? —dijo el juez, ahora con una voz cansina.

— Mi mamá. —El niño seguía balanceando sus piernas, ahora un poco más pausado.

— ¿Tu papá te visitaba en tu casa? —El juez Segundo replanteó, pero con pocas esperanzas de tener respuestas diferentes del niño.

— Sí, y me regaló una pelota roja y un bolso azul. —declaró Ricardo.

— ¿Tu papá te quiere? —Solo quedaban las preguntas subjetivas y de respuestas monosílabas.

— Sí. —dijo el niño sin titubeos.

— ¿Tú lo quieres a él? —La última pregunta, ya no había más que decir.

— Sí. —respondió el pequeño, igual que la pregunta anterior.

Kamila intentó acercarse al niño, pero fue detenida con una señal del juez. El abogado defensor estaba incrédulo de lo que estaba pasando. Seguidamente, se le cedió el derecho de palabra a la representante fiscal, que se le había sumado un par de arrugas más a su frente por el giro del interrogatorio.

— ¿Cómo te llamas? —exclamó la fiscal con cara de pocos amigos.

— Ricardo. —contestó el niño con una ligera sonrisa.

— ¿Cuándo dices que se te montó encima, cómo fue? —preguntaba con señales de escepticismo la fiscal.

— Se me montó encima jugando pelota en el cuarto de mi abuela. —contestó el niño de inmediato.

— ¿Cómo estabas tú? —Continuó con prisa la fiscal Bracamonte.

— Parado. —dijo con la misma rapidez Ricardo.

— ¿Y tu papá? —Continuó.

— Parado también. —Ricardo ya no balanceaba sus pies.

— ¿Cómo era el juego? —Bracamonte se inclinó levemente al lado del niño, apoyando sus dos brazos sobre uno de los reposabrazos de la silla.

— Había que atrapar la pelota. —dijo el niño mirando con atención a la fiscal.

— ¿Durabas mucho tiempo jugando pelota con tu papá? —continuó la abogada.

— Sí. —Ricardo volvió a balancear sus cortas piernas.

— ¿Se acostaron en la cama de tu abuela en alguna oportunidad? —Insinuó suspicaz Bracamonte.

— No. —respondió con calma.

— ¿Qué más hicieron en el cuarto? —preguntó la fiscal achicando sus ojos hacia Ricardo.

— Jugamos pelota y prendimos el televisor, más nada. —contestó el niño, nuevamente deteniendo el balanceo de sus piernas.

— ¿Tu papá te dio besitos? —Inquirió la Fiscalía.

—No. —respondió contrariado Ricardo.

— ¿Te abrazó? —Volvió a insistir la fiscal con ese tipo de preguntas.

— Sí. —respondió un poco tímido, Ricardo. No sabía si lo que hacía estaba mal o bien. Eso lo contrariaba.

— ¿Te quería mucho? —Siguió Bracamonte.

— Sí. —respondió con un poco más de calma.

— ¿Quieres ver a tu papá? —Insistió la fiscal.

— No. —dijo Ricardo. Esta respuesta hizo que los ojos de la fiscal brillaran, creyendo que esa era la pregunta disparadora que haría confesar los hechos vividos por Ricardo.

— ¿Por qué? —preguntó con cara de incertidumbre la fiscal

— Porque no. —respondió Ricardo con amargura.

— ¿Te gustaría volver a jugar con tu papá? —Insistió con su último aliento la titular de la acción penal.

— No. — contestó Ricardo con voz firme.

Cesaron las preguntas. Bracamonte tomó un largo respiro. Este interrogatorio no iba bien. Para la Fiscalía, la memoria de la víctima estaba jugando en contra. Kamila seguía de pie apoyada al umbral de la puerta cerrada del despacho, con los brazos cruzados. No podía acercarse a su hijo, hasta que todo el proceso concluyera.

Seguidamente, el juez arregló un poco los papeles del escritorio y se dispuso a volver a preguntar. Esta vez Ricardo ya no era tan tímido en contestarle al juez, pero presionaba sus manos y dedos sobre el borde de la silla donde estaba sentado.

—¿Desde cuándo no lo ves?

— Desde hace años.

— ¿Te visita?

— No.

— ¿Habla por teléfono contigo?

— No, eso era antes, ahora no lo quiero.

— ¿Por qué?

— Porque no.

— ¿No sabes por qué?

— No.

— ¿Conoces a tu abuela por parte de papá?

— Sí.

— ¿Y a tu abuelo?

— También.

— ¿Los visitabas?

—Sí, cuando el transporte me llevaba después de la escuela.

— ¿Qué hacías con tu papá?

— Ver televisión, jugar videojuegos, pelota y hablar con un primo que está en otro país.

— ¿Estaba en la casa?

— No, en otro país.

— ¿Qué más hacías?

— Comíamos galletas de chocolate y eran muy ricas.

— ¿Tú te bañabas en casa de tu papá?

— No, solo me baño en mi casa.

— ¿Haces pupú bien?

— Sí, pero soy estítico.

— ¿Te cuesta?

— Sí.

— ¿Te duele?

— No.

— ¿Qué es eso de estítico?

— Que no puedo hacer pupú.

— ¿Todavía te cuesta?

— Sí.

— ¿Tu papá te limpiaba?

— No, yo me limpiaba solito.

—¿Te han llevado al médico a revisar tu pompis?

— Sí.

—¿Alguna persona te ha tocado en tus partes íntimas?

— No.

—¿Ni para jugar?

— No entiendo. —dijo Ricardo arrugando un poco su nariz.

— ¿Para jugar, te han tocado las nalgas? —aclaró el juez.

— Una vez, me porté mal y mi mamá me pegó con la correa. —La cara de Kamila al escuchar las palabras de su hijo, hizo que descruzara sus brazos, incrédula de lo que su hijo decía.

— ¿Tu mamá tiene novio o esposo? —Prosiguió el juez.

— Sí.

— ¿Cómo te la llevas con él?

— Bien.

— ¿Juegas con él?

— Sí, me compró unos patines morados y me los va a cambiar por azules.

— ¿El novio de tu mamá vive con ustedes?

— Vive en su casa con su mamá y su hermano.

— ¿Te abraza?

— Sí.

— ¿Te besa?

— No.

Cesaron las preguntas. Otra vez hubo un momento de silencio entre todas las partes. Ahora era el turno de la defensa, el abogado Víctor Gonzalez, especialista en asuntos civiles, y amigo de la familia a quien contrataron a último momento para esta audiencia.

— ¿Estuviste con tu papá sin ropa? —preguntó temeroso el defensor.

— No. —contestó evidentemente incomodado y agobiado Ricardo.

— ¿Nunca estuvo sin ropa delante de ti? —Insistió la defensa con la voz algo quebrada.

— No. —respondió Ricardo con la misma actitud.

— ¿Estuviste desnudo delante de él? —Insistió la defensa.

— No. —Concluyó Ricardo.

El interrogatorio dejó sin palabras a todos los presentes. El juez pidió que la madre de Ricardo, quien tiene su representación legal, pudiera declarar. Ella titubeó un poco, pero retomó su autocontrol y respondió:

— Cuando sucedió el incidente con Ricardo, en casa de mi mamá, yo vi a Alan encima del niño haciendo movimientos sexuales, cuando le grité, se levantó nervioso diciéndome que él no estaba haciendo nada. Cuando fui a presentar la denuncia, el niño declaró que le besaba el cuello, se movía de atrás hacia adelante, y sentía sus partes, y le dijo incluso que en carnaval se lo hizo por primera vez en la casa de los padres de él. —exclamó Kamila mientras sostenía una hoja en la mano con algunos apuntes.

—¿El niño siempre fue estítico? —preguntó inmediatamente el juez.

— No, le comenzó a la edad de 3 años. —exclamó contrariada, Kamila.

Otro silencio. Cesaron las preguntas. Se permitió el reingreso del imputado a la sala, quien manifestó no desear exponer nada, y en consecuencia, se dio por concluida la audiencia ante la mirada incrédula de los presentes en virtud de lo ocurrido.

Nota jurídica del autor

La prueba anticipada es una audiencia que se hace antes de la oportunidad procesal que corresponde. Por ejemplo, en un caso donde el testigo presencial de un homicidio sea, a su vez, paciente terminal de cáncer y se tenga seria sospecha de que su declaración será imposible de reproducir en juicio, en virtud de su pronóstico desfavorable de vida, entonces se registra su declaración anticipadamente. En los casos de violación o abuso sexual, se recurre también a este procedimiento para buscar evacuar el testimonio de la víctima lo más pronto posible y así evitar el principio de doble victimización, es decir, revivir su episodio traumático nuevamente. Dicha declaración, se hace en presencia de todas las partes, quienes tendrán el derecho de interrogar y contrainterrogar tal y como se hace cuando se está en una audiencia de juicio. Llegado el momento, en la audiencia de juicio correspondiente, se leerá el acta de lo que ocurrió en esa audiencia de prueba anticipada y el juez, en su oportunidad, deberá darle el valor probatorio que considere.

Cuando la víctima es un niño, se recurren a métodos pedagógicos para evitar intimidarlo. Se procura utilizar un lenguaje pausado y no muy técnico para que el mismo pueda comprender lo que está pasando, incluso se recurre a juguetes para buscar entrar en confianza y un peluche para que señale la parte del cuerpo que le fue profanada.

CAPÍTULO 7
"Acordados de los presos como si estuvierais presos con ellos" Hebreos 13:3

Uno de los mayores miedos de un defensor es perder un juicio donde está en riesgo la libertad de su cliente. Por eso se prefiere mil veces llegar a «un mal acuerdo, que un buen juicio», frase muy común entre los abogados. Pues un juicio es como lanzar una moneda al aire, no se sabe quién quedará redimido. «Te entregué un hombre con medida cautelar y me lo regresas preso», ese es otro miedo. Son situaciones con las que debemos aprender a lidiar. Sea culpable o inocente una persona, nuestro deber como defensor es lograr que la ley sea justa con la evidencia. Toda persona tiene derecho a la defensa. No lo digo yo, está en la Constitución.

La vida da muchos giros. Y los seres humanos son duales. Solo la ley coloca en blanco y negro las situaciones, y es nuestro trabajo como penalistas garantizar que la persona que es señalada se pueda defender del mayor mal de todos: el prejuicio. Ya al aparecer un nombre asociado a un delito, la mayoría de las personas ya asumen el camino más sencillo:

asumir la verdad absoluta de solo una cara de la moneda, sin escuchar la contraparte. Eso pasa en casi todas partes.

Pero, ¿qué pasa cuando no hacemos bien nuestro trabajo? Puede que estés poniendo en peligro el derecho humano más preciado después de la vida, ¡la libertad! La consecuencia, y miedo de muchos, es parar en la cárcel. Y no es para menos. Realmente es un ambiente que puede costarte hasta la vida misma. Es casi una pena de muerte en cualquier país pobre de valores y ética. Repito, las denuncias son una versión de la historia, la contraparte tiene derecho a dar su versión. El lobo siempre será el malo si solo escuchamos a *La Caperucita*.

«Suele decirse que nadie conoce realmente cómo es una nación, hasta haber estado en una de sus cárceles», expresó en algún momento Nelson Mandela. Abogado por cierto.

Para ser un verdadero penalista, hay que visitar las cárceles. Solo allí ves el horror de un sistema que no corrige conductas, sino que condena y castiga de por vida. Muchas de las cárceles que visité en su momento, están hoy día cerradas o clausuradas por su alta peligrosidad. En su mayoría eran regidas por un líder de índole negativo denominado «pran», quién de alguna manera tenía el control de todo lo que pasaba en el penal. Ahí, prácticamente, gobernaba junto a un equipo denominado «el carro», integrado por una especie de ministros y viceministros denominados «luceros». Ellos tenían todo un sistema alterno de justicia al que se vivía fuera de esos muros.

En otros penales sí había cierto control del Estado. Es un submundo todo aquello, pero que agradezco haber conocido muy de cerca. En una oportunidad, me tocó defender por secuestro y extorsión a un pran de nombre Enrique Octavio, alias «Capone», apodo que se había ganado por sus dotes de mafioso. Era un hombre moreno, alto, de contextura gruesa, con una gran cicatriz en la mitad del rostro, había sido funcionario policial y, aunque parezca extraño, también era bastante comedido, respetuoso y les diría que hasta inteligente. Todos le temían, yo no, tal vez por eso siempre me trató con mucho respeto, incluso me llamaba «doctor». Algo sí les digo, ese respeto se gana también dándolo, en consecuencia, cuando visiten a sus defendidos en la cárcel, mírenlos a los ojos al hablarles, escúchalos detenidamente, denle la mano al saludarlos y tengan mucha paciencia para explicarles los pormenores de su caso.

Aún recuerdo mi primera visita carcelaria. Conocí el Internado Judicial El Fauno, específicamente a entrevistar a un imputado de violación. Ocurrió hace muchos años, cuando todavía no me habían juramentado como defensor de oficio. Como abogado adjunto, trabajaba de la mano con ellos y siempre conocía los casos más emblemáticos. Para ese entonces, una de las defensoras que integraban el despacho, estaba trabajando un caso de violación de conmoción nacional. Se trataba de un hombre que hace años había violado y asesinado a una mujer en el Parque el Metropolitano y por dicha acción cumplió condena de casi 30 años de cárcel. Esta vez estaba nuevamente acusado, pero de violar a una prostituta, y por ello volvía a estar privado de libertad.

La mañana de ese viernes, le rogué a la defensora que me permitiera acompañarla. Ella aceptó sin ningún tipo de inconveniente. Yo era de los que les pedía a mis jefes que me pusieran trabajo, y fue así que rápidamente aprendí a hacer todo tipo de escrito jurídico. ¡Qué importante es tener buenos jefes! Pienso y lo mantengo, pues son los que a su vez se convierten en tus maestros. Por eso, justamente, procuro jamás ser mezquino con el conocimiento, porque estoy tratando de emular lo que hicieron otros conmigo, de formar a los que vienen detrás.

De vuelta a El Fauno, al que pedí ir, lo que más recuerdo es su olor nauseabundo impregnado, incluso desde la puerta de entrada, seguramente producto de comida podrida, de basura, heces, orina y hasta cadáveres. Al ingresar nos manifestaron que lo hacíamos bajo nuestro propio riesgo, ya que los funcionarios que custodian el penal lo hacen desde afuera y no hay ninguno en el interior. Una vez adentro, nos desplazamos por un pasillo delgado, oscuro, largo y tenebroso en el que solo se podía encontrar una puerta azul de metal tras otra. Al final, recuerdo había una montaña de basura rodeada de moscas, que algunos internos trataban de limpiar, o al menos simulaban hacerlo. A nuestra derecha, un charco de sangre espesa, todavía fresca, se trataba de un interno al que le habían propinado algunas puñaladas la noche anterior y solo esperaban que la camioneta de la morgue viniera para llevárselo. Ahí yacía inexpresivo, siendo cargado por otros internos para que no estorbara el paso. ¿Por qué lo habrán matado así? Es una pregunta que aún me hago cuando recuerdo esa visita. Quizás violó algún código carcelario. Realmente nunca lo sabré.

Lo interesante de la figura del pran es que en su desorden lograba una especie de orden, e impartía una serie de normas que debían ser acatadas, so pena hasta de muerte en caso de incumplimiento. Uno de esos posibles delitos era, por ejemplo, hurtarle los cigarros a otro interno, eso podría hacerle ganar un disparo en la mano. Llegué a verlo en una oportunidad. Ahí todo tenía dueño y, de alguna manera, el pran también era dueño hasta de la vida y decisiones del resto. Así que si algún interno tenía un problema con otro, antes de que se mataran a golpes, puñaladas y tiros, primero debía autorizarlo el pran.

Al terminar el pasillo, la montaña de basura y el cadáver, llegamos finalmente a una especie de locutorio sin prácticamente luz artificial, donde a su vez había un interno de nombre Pascual, un anciano bastante delgado, con sucia y pronunciada barba, prácticamente con toda la ropa rasgada, quien de forma amable se presentó y nos pidió que le anotáramos el nombre de la persona que buscábamos, para él ir por ellas a su celda, lo cual hizo a cambio de unos billetes de baja denominación que cada abogado le iba entregando junto a una lista con nombres. Mientras esperábamos que llegara nuestro defendido solo escuchábamos los gritos que salían desde el corazón del penal, algunos eran de dolor, otros de sufrimiento y otros llenos de autoridad. Era como si se tratara de una visita al mismísimo inframundo. Al cabo de unos minutos volvió el interno con casi todos los reos que habían sido anotados en las listas, y cada quien conversó con su defendido. Mi jefa, en aquel entonces, le llevó incluso 3 panes y una caja de cigarros.

Si alguien se pregunta: ¿Qué hacía un interno con dinero en efectivo? Debe saber que, en ese tipo de cárceles, había muchos comercios de venta de comida, café, cigarrillos, barberías, teléfonos de alquiler, etc. Todos administrados por los mismos reclusos con autorización previa del pran, por supuesto, quien seguramente recibía su comisión por cada uno. El dinero, en cualquier parte del mundo, brinda poder y estatus. En la cárcel no iba a ser la excepción. En ese tipo de cárceles, el dinero era la puerta de entrada a privilegios que no deberían existir en un sitio como ese, y es por ello que algunos dormían en colchones y otros en el piso, unos se bañaran con un tobo de agua y otros con una manguera, unos comerían y otros escarbarían de la comida sobrante. Recuerdo además que en un penal de los que visité me hablaron de un cuarto donde estaba «La Gucci», una larga y gruesa cuerda extraída de una sábana que estaba a disposición para quien deseara ahorcarse. También conocí a un enorme cerdo que tenían de mascota los internos y era alimentado con restos de cadáveres, se llamaba «Roberto», pesaba más de 400 kilogramos y era bastante agresivo.

Así de podrido llegó a estar el sistema carcelario. No es que hoy día todo sea color de rosas, pero sí ha habido ciertas mejoras, de hecho, algunas prisiones como esa, fueron ya clausuradas y recuperadas por el Estado. Sin embargo, falta mucho por hacer en pro del sistema penitenciario. Siempre he pensado que es urgente su humanización para lograr que el delincuente de verdad se arrepienta, internalice y entienda el error que cometió, que pueda de alguna manera rehabilitarse o regenerarse para su futura reinserción en la sociedad, para su segunda oportunidad, que logre ser un hombre de bien. Incluso, que pueda aprovechar su tiempo de encarcelamiento en estudio, haciendo algún deporte o hasta trabajando. No estoy hablando de ser blandengues con los delincuentes, hablo de una verdadera y seria planificación en materia penitenciaria para que estos dejen de ser una deformación humana más profunda. Claro, que para eso, hace falta demasiada voluntad política y de la misma sociedad. Pues en la práctica, aún se puede ver hombres que, más bien, hacen postgrado en delincuencia allá adentro y, en consecuencia, salen mucho peor de cómo entraron: llenos de odio y rencor hacia la sociedad.

A todo eso, se le suma la ausencia de ética de muchos guardias penitenciarios amantes del sadismo, que vejan, maltratan, extorsionan, torturan física y psicológicamente a los privados de libertad, dejando como resultado un sistema penitenciario deficiente, que aún tenemos en prácticamente toda Latinoamérica, por no decir el mundo.

Es tarea de cada penalista sumar voluntades para tratar de que esta situación cambie lo antes posible. Cada aporte suma. Creo en la reinserción y, en consecuencia, en las segundas oportunidades, partiendo de que los seres humanos somos imperfectos y cometemos errores. No creo, por el contrario, en cadenas perpetuas o penas de muerte, que no han surtido efecto en los países que las han implantado como método para acabar con la delincuencia.

Todo penalista, además de hacer su trabajo jurídico, debe hacer lo posible para garantizar el derecho a la alimentación, salud y visita del privado de libertad, así como su libertad de credo. Me correspondió, alguna vez, defender a un hombre musulmán, quien por cuestiones religiosas requería de una dieta especial, no podía comer cerdo por ejemplo, dieta que era aún más estricta en época de Ramadán. La religión es un tema común en las cárceles, de hecho, existe un sector denominado «La iglesia», presidida por un pastor que también está privado de libertad. Sirve de refugio espiritual y físico para quien lo requiera. Espiritual porque estudian la palabra de Dios, al cual se aferran con todas sus fuerzas, incluso los no tan creyentes. Y físico porque también sirve de refugio o santuario para aquellos acusados de delitos sexuales. Eso sí, si sales del cuarto donde opera dicha iglesia eres hombre muerto. Muchos otros, por su parte, acuden más bien al mundo de la brujería y afines, por lo que es bastante común enterarse de un ritual en perjuicio de un juez o un fiscal.

En general, en el mundo carcelario es curioso observar y notar cómo los privados de libertad desarrollan durante su estadía en prisión una profunda apatía, poco parece importarles más allá de su propia supervivencia o existencia. Los problemas propios de la vida fuera de la cárcel dejan de serlo desde el momento que estás adentro. Aquí afuera nos preocupa llegar a tiempo al trabajo, limpiar el carro, visitar a nuestros padres, ir al cine con tu pareja, bañarte, vestirte, arreglarte, etcétera. Allá adentro, todo eso deja de importar o tener sentido. Obtener un cigarro o evitar que te maten o violen es la prioridad. Lo demás gira en torno a lograr una visita familiar o conyugal y, por supuesto, de su abogado con alguna buena noticia que le haga mantener la esperanza de la tan anhelada libertad. Eso me parece realmente que es lo que los mantiene con vida, la esperanza de volver a probar la libertad. Nada más importa.

Ahora está la realidad en las cárceles de mujeres. Un poco menos violentas que las de los hombres. Aun así, operan los mismos códigos que en las cárceles masculinas. Las mujeres delinquen mucho menos, y es tan así que hay menos cárceles de mujeres que de hombres. Las que lo hacen, incurren mayormente en delitos pasionales y delitos de narcotráfico. En sus espacios llegué a encontrarme con verdaderas modelos, que amparadas en su atractivo y en aras de pasar desapercibidas, eran utilizadas por las grandes bandas del tráfico de drogas. Otras habían asesinado a sus esposos o maltratado a sus hijos. Para defender a una mujer, debes tratar de entenderla también como mujer, por lo que muchas veces se lidia con sus cambios de humor en virtud de su estado hormonal.

Las líderes de esas cárceles, por lo general, son lesbianas que adoptan la actitud y apariencia física de un hombre. Se cortan el cabello y usan ropa ancha masculina que oculte sus senos y demás atributos femeninos. Otras no ocultan dichos atributos y buscan más bien utilizarlos a su favor, a fin de buscar procurar algún tipo de privilegio. Recuerdo una vez que una joven de unos 25 años acusada de robo, compañera de celda de una mujer a la que yo defendía e iba a visitar, se obsesionó conmigo, o al menos fingió estarlo, al punto que trató de besarme durante una visita e incluso logró recabar mi número de teléfono para enviarme fotos provocadoras de sí misma. A decir verdad, sí era una mujer bastante atractiva, pero sucumbir a aquello podría traerme un problema mayor, en lo personal y profesional.

El sexo es una necesidad humana sin distinción de género, y si algo debo criticar al sistema penitenciario en materia femenina, es lo inmensamente difícil, por no decir imposible, que se les hace a las mismas acceder al derecho a una visita conyugal, donde a diferencia de la cárcel de hombres, a ellas les exigen una pareja con la que esté casada y múltiples exámenes médicos para evitar enfermedades de transmisión sexual. Esto, por supuesto, también para evitar tener mujeres embarazadas privadas de libertad, lo cual obviamente supone un problema para el Estado, pues un ambiente carcelario no es óptimo para una mujer en cinta o recién dada a luz. Está comprobado psicológicamente que una mujer que no tiene sexo está más propensa a sentirse estresada y molesta, por lo que urge buscar una solución a este tópico para ellas.

A pesar de todos los esfuerzos que podamos hacer para ser un buen penalista, debo advertir que, prácticamente de manera inevitable, en algún momento del ejercicio de la profesión, por acción u omisión, se reciben amenazas por parte del cliente. Los privados de libertad, en su agobio y desesperación, quieren buscar culpables en todas partes, siendo una víctima usual su propio abogado. Cuando esto pasa, ya tomo en cuenta que es algo común, que nos pasa a muchos, y que hay maneras de salir ileso de ese tipo de situación. Dependiendo de cuál sea, por supuesto. Aquí solo vale recordar el carácter que hizo que tomara esta rama del derecho, para así evitar demostrar miedo ante el cliente y, en el marco del respeto, pedirle que desista en su acción o sino sencillamente debe buscar a otro que lo defienda. Yo recomiendo a mis colegas, no cometer el error de contestar con violencia o responder con más amenazas que tal vez no pueda cumplir. Somos personas inteligentes que nos formamos para lidiar con estas situaciones. Jamás se debe ceder a chantajes y extorsiones.

Durante mis visitas carcelarias, solo una vez realmente peligró mi vida. Ocurrió en el Internado Judicial Cancerbero III, cárcel destinada a albergar privados libertad que principalmente fuesen funcionarios policiales y militares, cuando en plena visita se formó una balacera entre los internos de Cancerbero I, que está adyacente, y todas las balas fueron a dar a la oficina donde estábamos los abogados, quienes rápidamente nos arrojamos al piso. Yo no podía creer que se tratara de disparos. Si no es por mi buen amigo David, quién rápidamente me gritó que me lanzara al suelo, me quedo de pie y quién sabe si lo estuviese contando cómo ahora. Peligraron nuestras vidas, sin embargo, al día de hoy siempre recordamos con risas ese momento en virtud de mi falta de reflejos.

Después de conocer la vida en las cárceles, de alto peligro y otras menos, alguien podría pensar y preguntarse: «¿Es peligroso ejercer el derecho penal?». Les contestaría que alguna vez leí una noticia sobre un hombre a quien le cayó un rayo y murió mientras paseaba en el parque. Lo que quiero decir con eso es que la vida, en todas sus facetas, siempre habrá peligros, previsibles o no, son peligros que debemos afrontar y vencer. En lo personal, diría que si tuviese que ver a la muerte a la cara, gracias al ejercicio del derecho penal, lo haría con mucho orgullo y valentía, pues me habrá encontrado haciendo lo que me gusta y hace feliz, pero sobre todo, me habrá encontrado haciendo lo que tenía que hacer cuando se me exigió.

Reitero las palabras de Mandela: «... nadie conoce realmente cómo es una nación, hasta haber estado en una de sus cárceles».

CAPÍTULO 8
ALAN Y EL DEFENSOR

Año 2019, en los Tribunales

— Buenos días, muchísimo gusto ¿cómo estás? —Estiré mi mano a Alan para que la tome— ¿Sabes quién soy? Me llamo José Custodio y a partir de hoy seré tu abogado —Le manifesté con una sonrisa y un firme apretón de manos.

— Buen día, doctor, mucho gusto. Mi primo Oliver me habló de usted ¿Es verdad que es su amigo? —Me contestó con su voz nasal, una gran sonrisa y un firme apretón de manos, como si realmente estuviera esperando conocerme.

— Claro, Oliver es un gran amigo mío. De hecho, estudiamos juntos en la facultad de derecho. Cuéntame, ¿cómo estás? —Le respondí y pregunté a su vez.

— Bien doctor, cansado de estar encerrado. —Me manifestó algo melancólico.

—Yo vengo a ayudarte, pero quisiera que me contaras ¿Qué pasó aquel día? —Le pregunté sin dar más rodeos.

— La mamá de mi hijo dice que yo abusé de él, pero eso es mentira, nosotros solo jugábamos. —Me dijo con inquietud.

— ¿Pero en algún momento te quitaste o le quitaste la ropa? —Le pregunté de nuevo.

— No. —Me contestó de manera inexpresiva, mientras se entretuvo mirando a una cucaracha que se desplazaba por el piso del tribunal.

Ante esta actitud recordé que uno de sus exámenes psiquiátricos infería que sentía indiferencia hacia la víctima. Posiblemente en virtud de su condición neurológica.

— ¿Sabes qué día es hoy? ¿En qué ciudad estamos?, y ¿quién es el presidente de la República? —Le pregunté para tratar de evidenciar su estado mental.

—Lunes, estamos en La Fortaleza y el presidente es don Andrés. —contestó con evidente confusión y contrariedad que encubría con una sonrisa.

Dos respuestas incorrectas. No necesité preguntarle nada más para creer en su inocencia, así que solo me limité a manifestarle:

—Alan, sigue absolutamente todas mis instrucciones y, Dios mediante, saldrás de esto.

Él siguió sonriendo y haciéndome cualquier cantidad de preguntas estériles o irrelevantes, como ¿qué carro tenía? ¿Dónde vivía? ¿Desde cuándo no hablaba con Oliver? o ¿qué haría al salir de ahí?, denotando una absoluta inocencia. Estar con Alan era como estar con un niño, quien necesitaba sobre todo atención y comprensión, y dicha actitud la acompañaba incluso con su vestimenta, una franela tipo polo azul clara, bastante estirada y descolorida, que daba la impresión fuese dos tallas más grandes que la que debería usar, un jean oscuro bastante grande también, y unos zapatos marrones algo rotos. Supuse que perdió peso durante estos años y sencillamente no tuvo la posibilidad de adquirir ropa adecuada a su talla. Al verlo así, sentí mucha pena por él. Pasó de ser un hombre con una vida normal, a un hombre mermado física y psicológicamente, acusado de algo tan terrible y encerrado en su casa desde hace 9 años.

Antes de retirarme le di una última instrucción: —«No quiero que declares. Yo hablaré por ti».

No había nada más que hacer, solo esperar a la apertura de juicio fijada para el día 20 de febrero del 2020, a las 10 de la mañana.

Despacho del bufete Morante y asociados

Más tarde.

Me sirvo mi segunda taza de café del día. Me dije a mi mismo que lo dejaría por temas de salud, y poco a poco lo he logrado. Tomé asiento, nuevamente, en mi escritorio, con el expediente de Alan Manzano abierto sobre este. Ya lo he leído un par de veces, y no dejo de estar contrariado con el final del documento. La defensa no promovió pruebas, solo contaba con las pruebas de la Fiscalía y la prueba anticipada del niño, que difiere del señalamiento de la madre de este. Realmente era un caso que parecía indefendible.

No pude esperar más tiempo para comenzar a trabajar en este caso. Inmediatamente salí de los tribunales, me vine directo a la oficina. Nueve años han pasado desde que ocurrieron los hechos que llevaron a Alan a estar encerrado en su vivienda, bajo la medida de un arresto domiciliario decretada por la Corte de Apelaciones, y aún no le han efectuado el correspondiente juicio que determine su culpabilidad o inocencia. La lentitud de los procesos, la burocracia y otros factores hacen que el retardo procesal penal alargue la agonía de sus implicados. Pero, ha podido ser peor. Pienso que Alan pudo haber estado privado de libertad todo este tiempo, sufriendo las penurias de la vida en una cárcel, y mi misión ahora es evitarlo a toda costa, pues yo sabía, en virtud de mi experiencia en el mundo penal, lo que pasaría allá adentro con un hombre como él, acusado de un delito tan terrible. Dicho de otra manera: ¡No podía perder este caso!

Termino mi café. Tomo algunas anotaciones del expediente. Ahora que estaba juramentado para este caso, y que el tiempo volvió a correr en contra del primo de mi amigo, debía estar más atento a los detalles, esos que se obviaron estos últimos años, que puedan servir para devolverle la vida a este hombre, aunque realmente él no esté consciente del todo. Porque, parece loco, y es imposible mantener esa fachada sin serlo realmente.

Mi primera impresión hacia el caso de Alan fue de absoluto desconcierto, ya que Oliver y Lucía me refirieron que esa situación había ocurrido gracias a un complot de Kamila y su familia para sacarlo del juego con el tema del niño y privarlo de la patria potestad del mismo. Situación que, sinceramente, me pareció de entrada muy novelesca. El caso, por su parte, no me generó ningún tipo de predisposición o rechazo, hace mucho tiempo aprendí a no juzgar un expediente por su carátula. Claro que esto fue gracias a una coraza que fui creando y endureciendo con el paso del tiempo. Hubo muchos casos que llegaron a prepararme en el pasado, para poder defender a Alan en este presente:

Recuerdo el caso de Simón Matamoros, un hombre moreno, de estatura baja, contextura delgada y de expresión amable, apacible y sonriente, acusado de matar a su exesposa María Laura, y haber abusado sexualmente de su hija de 8 años, Laura del Valle. Ambos hechos ocurrieron en fechas y circunstancias distintas, pero, por motivos de índole procesal, fueron acumulados en un mismo expediente. Al final de aquel juicio de año y medio, absolverían a Simón por homicidio, pero lo condenaron por el abuso sexual de su ahora adolescente hija, cuyo testimonio fue lapidario para nuestras aspiraciones como defensa. Como hecho curioso, recuerdo que días antes de culminar el juicio, aún sin yo pedírselo, Simón tomó una vieja biblia que había en mi despacho y juró ser inocente. Aun así, quedó conforme con la condena y me pidió no apelar de la decisión. El caso era tan viejo, que, a diferencia de hoy, la ley que regulaba el delito de abuso sexual para el momento en que se cometió el hecho, atribuía una pena bastante baja, así que aun cuando fue condenado, la sanción no ameritaba pena privativa de libertad. De ese caso aprendí a prepararme mucho mejor respecto a los interrogatorios de las víctimas.

Al recordar el caso de Matamoros, solo pienso en los interrogatorios de las audiencias. Hay tantos vacíos e inconsistencias en el caso de Alan, más la presión del tiempo, solo me concentro en lograr su salida lo antes posible. Nueve años esperando para continuar la vida, es mucho para cualquier persona. Mi hora de almorzar se pasó. Pero, no me provoca comer, solo quiero seguir avanzando, continuar revisando con detalle el expediente del primo de Oliver. Este caso me hace recordar otro relacionado a una acusación de abuso infantil en la que me tocó trabajar:

Viene a mi memoria con beneplácito la defensa que ejercí en favor de Alejandro Pucutivo. Un licenciado en enfermería acusado de abusar sexualmente vía oral de un niño de 8 años. Este tipo de delitos vía oral son muy complejos de demostrar para la Fiscalía toda vez que no dejan rastro de violencia o desfloración (desgarro), como sí lo haría una penetración vaginal o anal, haciendo más difícil aun la colecta de evidencias de interés criminalístico; salvo que realicen el examen forense al momento y se haga un hallazgo del semen del agresor en la boca de la víctima. Circunstancia que casi nunca ocurre así que por lo general solo se cuenta en principio con el testimonio de la persona agraviada. Después de todo ¿Por qué iba a decir tal cosa un niño de 8 años? Recuerdo que cuando me correspondió interrogarlo, pedí unos minutos para hablar privadamente con mi cliente, y con mucha firmeza le pregunté: «¿Qué me va a responder ese niño si le pregunto si tú le introdujiste el pene en la boca?». Información que como defensor debo manejar para saber qué y cómo preguntar. A lo que, después de pensarlo pocos segundos, me respondió tembloroso: «Yo no le hice nada, lo juro». Su respuesta no me convenció mucho, pero obviamente debía creerle. Por suerte para él, luego de un minucioso interrogatorio, y para la sorpresa incluso de la Fiscalía y el mismo tribunal, aquel niño manifestó que todo era mentira, y que él lo había inventado todo, ¡Libertad para Pucutivo!

Desde ese caso, supe que todo es posible, y que la palabra de un niño puede ser influenciada. Similar a lo que pudiese estar pasando con Alan y su hijo. Realmente, hay muchas cosas que no son consistentes. Terminé mi tercera taza de café. Me reclino en mi silla un poco, antes de continuar haciendo anotaciones del expediente en mi laptop. Mi experiencia en tantos casos, realmente me hacen aprovechar, cada vez mejor, cada segundo antes de una audiencia. El tiempo es un factor importante, pero la disposición de los jueces y fiscales ante un caso, también lo son. Eso me recuerda a otro caso que defendí y que siempre planteo en las clases que imparto en la universidad:

Se trataba de dos jóvenes que fueron conminadas a subir a un vehículo por otros dos hombres, y bajo amenaza de muerte con arma de fuego, las obligaron a practicarle sexo oral a uno de ellos. Mientras esto ocurría uno le da un golpe a una de ellas con una pequeña piedra en la cabeza manifestándole: «trágate el semen», lo cual ocurrió. Posteriormente fueron liberadas y ellos aprehendidos. Cuando llegué a asumir ese caso y me apersoné al tribunal, me estaban esperando con caras de desaprobación la juez, la fiscal y la secretaria, todas mujeres, quienes me manifestaron que ya todo estaba listo para que el mencionado imputado admitiera los hechos. Antes de emitir una opinión verifiqué el expediente y pude comprobar que evidentemente estaba configurado el delito de violación por vía oral, pero me llamaba la atención la imputación por el delito de: "Homicidio calificado en grado de frustración". Aducía la fiscal que el victimario cuando tomó la piedra y le golpeó la cabeza a la joven para que esta se tragara el semen, había intentado a su vez causarle la muerte. De inmediato le dije a todos los presentes que no estaba de acuerdo con dicha calificación, alegando que el delito de violación admite violencia pues el agresor se vale de la misma para concretar el acto de naturaleza sexual, y que obviamente la intención era violar y no matar, y fue tan así, que después del acto sexual las dejaron en libertad.

Las personas deben ser juzgadas por el delito que cometieron y no por otros tantos que los operadores de justicia, en virtud de su indignación y sed de venganza, imputan sin fundamento alguno. También hay impunidad cuando se investiga, acusa y pretende juzgar a alguien de esta manera. Noten cómo esto de hacer valer el derecho a la defensa va mucho más allá de defender a criminales, sino de defender el correcto proceder, recordando siempre que la justicia no es otra cosa que «darle a cada quien lo que le corresponde». Ni más ni menos. Defender a personas acusadas de delitos tan dantescos en un sistema de justicia como el nuestro, donde no existen las figuras de los jurados, es sumamente difícil. Figura que me encantaría se retomara, al menos, para casos de delitos graves. Las decisiones judiciales en este país están en manos de una sola persona, del juez del tribunal, y al estar todo en manos de una misma persona, toca como parte en el proceso, saber lidiar con sus vivencias, creencias, sentido de la lógica y conocimientos. Situación que es terrible, pues pudieras encontrarte con un juez predispuesto hacia ciertos delitos, personas o, incluso, con uno que llegó a ese cargo sin mérito alguno, en consecuencia, puede desconocer el buen derecho. ¿Y saben qué es peligroso? Un juez que no está preparado para serlo. Creo que menos daño hacen 100 hombres armados en una conferencia de paz.

Definitivamente, el caso de Alan se debía verificar muy bien. Pues, solo por la carátula o portada de su expediente, al estar establecido en el renglón del delito, «abuso sexual» o «violación», todos gritan y se predisponen con el caso aún sin leer las actuaciones. Nadie se pregunta ¿Existe la posibilidad de que esta persona sea inocente? Te juzgan de antemano.

De una, me serví mi quinto café de la tarde, volviendo a mi escritorio para releer mis anotaciones e interrogantes preliminares, después de la revisión exhaustiva del expediente:

> No es un hecho controvertido para las partes y el proceso penal, la condición neurológica de Alan, en virtud de su accidente automovilístico. El punto álgido radica en la discrepancia entre los distintos exámenes psiquiátricos que le habían practicado para determinar su juicio de valor o capacidad de discernimiento.
>
> ¿Qué más, además de un abuso sexual, pudiese producirle a un niño una mucosa anal congestiva y un esfínter hipotónico?
>
> El niño en esa época había sufrido de una severa pato-

logía hemorroidal. Su declaración en la sede fiscal discrepa respecto a la declaración que hizo ante el tribunal en la audiencia de prueba anticipada. ¿Por qué?

La prueba anticipada aún cuando busca evitar la doble victimización del agraviado, por alguna razón que desconozco se hizo a destiempo. Las pruebas anticipadas se efectúan al inicio del proceso, prácticamente desde que ocurrieron los hechos, y no más de dos años después como ocurrió en este caso. Además el juzgador erróneamente asumió las facultades de las partes al interrogar a la víctima incluso antes que la Fiscalía. Tampoco me parece jurídicamente correcto que Alan fuese excluido de la audiencia ni que se le otorgara el derecho de palabra a la señora Kamila cuyo testimonio sí debía ser evacuado en la oportunidad procesal correspondiente. Es decir, en el juicio.

El examen médico forense más allá de arrojar signos de abuso sexual, no arrojó evidencias que individualicen al agresor (vello púbico, semen, etc.) ¿Cómo pudo pasar eso? ¿El niño se bañó antes de la práctica del examen?

¿Por qué los exámenes psicológicos y psiquiátricos efectuados a Alan por parte de los peritos de la Fiscalía, hacían un juicio de valor? Esto me llamó la atención por cuanto muchos de los otros tantos exámenes de estas características que he visto en mi carrera no eran así. ¿Alguien deliberadamente les pidió acaso hacerlos de esa manera?

¿Por qué a Alan solo lo evaluaron psicólogos y psiquiatras de la Fiscalía y no uno adscrito de un ente imparcial como el Servicio Forense?

No hay un solo testigo presencial además de Kamila, que haya visto a Alan penetrando a su hijo, o al menos desnudo.

¿Por qué no se efectuó experticia en el sitio del suceso?

Que, entre otras cosas, pudo efectuar el hallazgo de evidencias de interés criminalístico como semen o apéndices pilosos sobre la cama en cuestión.

¿Por qué la Fiscalía no promovió la declaración ni de
un solo funcionario policial que haya efectuado alguna
actuación?

Solo abundan testigos referenciales de lo que declaró
Kamila.

Nunca se investigó la posibilidad que alguien más haya
sido el abusador de Ricardo.

Es una pena que el defensor de Alan haya omitido en su momento oponer
excepciones contra la acusación fiscal y promover pruebas en favor de
Alan. Qué ventajoso sería llegar a juicio con los testigos que pudiesen dar
fe de su comportamiento, como hermana, padres y amigos, pero sobre
todo, qué importante hubiese sido promover el testimonio del psiquiatra
que lo evaluó durante tantos años y pudiese validar su real estado psiquiátrico. También hubiese sido de mucha utilidad la promoción de la prueba
documental referente a la incapacidad de Alan ya declarada por parte del
Seguro Social. Todo por culpa de una mala praxis jurídica.

Tomo un respiro y masajeo mi sien. Pensar en tantas omisiones me
aturdía. Lucía me contó que, para aquel entonces dentro de su desesperación, contrató a un abogado que le dio buena espina y la abordó en la
entrada de los tribunales. Él le había dicho que era buen amigo del juez
y la fiscal, y podría resolver eso en poco tiempo, haciéndole además una
propuesta de honorarios bastante asequible. Siempre he pensado que lo
barato sale caro. Contratar a un abogado que conoces en la puerta de los
tribunales, que te promete resultados y te cobra una tarifa inusual, debería
hacerte pensar. Ella cayó en las manos de un abogado pillo, estafador y
hablador, de esos que tristemente abundan en el mundo jurídico. Eso,
definitivamente, menos aportó al expediente de Alan.

Por otra parte, las veces que me ha tocado dar clases a los futuros
defensores, procuro recordarles que deben saber que el escrito de excepciones, esta especie de contestación a la acusación fiscal, donde la defensa

refuta de manera minuciosa cada punto ajeno a la verdad a que hubiese lugar, es un escrito sumamente importante de carácter técnico y que formalizas o defiendes de manera verbal durante la audiencia preliminar. Por lo general en ese mismo escrito se incluye un capítulo destinado a promover las pruebas lícitas, legales y pertinentes que consideres.

Había tantas cosas por escribir, y aún no he almorzado. Ya estaba oscureciendo fuera de la oficina, pronto sería la hora de regresar a casa y comer algo. Es mucha la tensión que siento. No quiero perder la libertad de mi indefendido, hasta ahora. Comienzo a preparar mis conclusiones del caso, para compartirlo con la familia de Alan.

Me sobran motivos justificados para pensar lo que, estoy seguro, sería el pensamiento lógico, que realmente alguien había movido, en su momento, ciertos hilos en Fiscalía y policía para armar el caso en contra de Alan. Aun así, pienso que hay posibilidades de lograr su absolución a través de alguna de estas dos vías: Demostrar su inocencia en juicio, o demostrar que es una persona inimputable en virtud de su condición neurológica y, en consecuencia, no puede ser enjuiciado por la comisión de un hecho punible, sin importar si lo cometió o no. Claro que para lograr esta última necesitábamos de un examen y testimonio forense que así lo señalara.

Nota jurídica del autor

Dependiendo del caso, recomiendo o no que mis defendidos declaren. Siendo los imputados los únicos que pueden escoger si hacerlo o no. El resto de los testigos sí están obligados a hacerlo, incluso bajo juramento. Del imputado querer declarar, lo hace sin juramento, y de no hacerlo, tal como le indiqué a Alan, se acoge al precepto constitucional que los exime de declarar en causa propia, sin que eso sea considerado como un indicio de culpabilidad en su contra. Rendir testimonio en juicio no es para cualquiera, depende de la naturaleza del caso y de las características propias de tu cliente, en este caso, al tratarse de una persona que, a mi criterio, es inimputable en virtud de su patología, cuesta demasiado preparar su declaración. En juicio no estamos para cometer errores o improvisar, todo lo que ahí se diga debe estar valorado.

CAPÍTULO 9
APERTURA DE JUICIO

Año 2019, Febrero

Aquella mañana del miércoles hacía un sol verdaderamente radiante. La audiencia estaba fijada para las 10 de la mañana, yo llegué un poco antes, vestido con un traje negro que había comprado el mes anterior, junto a su chaleco de cuatro botones, camisa blanca, corbata vinotinto, pisa corbata plateado, y zapatos negros perfectamente pulidos, tal y como me enseñaron a vestir en la academia militar, muchos años antes. Utilicé incluso un reloj plateado de bolsillo que se sujetaba con cadena al chaleco que suelo usar en ocasiones especiales. En mi mano derecha, no podía faltar mi maletín negro lleno de leyes penales, y en la izquierda otro maletín contentivo de mi toga negra, perfectamente planchada, la cual se debe utilizar en las salas de juicio.

Lamentablemente, la comisión policial que tenía que buscar a Alan en su casa para llevarlo al tribunal, tenía otros planes, y terminaron más bien llegando a la 1 de la tarde. Para Alan era traumático ir a tribunales, pues la comisión policial además de pedir alguna dádiva por el traslado, lo trataba bastante mal. Le hacían entrar por el sótano, donde se encuentran los calabozos de los tribunales, un lugar lúgubre y con un perenne olor a orina, esposado y con el resto de los privados de libertad que tuviesen audiencia ese día. Luego, cuando terminara la audiencia, debía esperar al final de la jornada en horas de la tarde para que lo volviesen a llevar a su casa. Y todo eso solo si de verdad tenía suerte, pues podía ocurrir que ese día la unidad encargada del transporte estuviese de comisión en otro lugar o presentara fallas mecánicas y no pudiese ni siquiera buscarlo, generando un nuevo diferimiento. En virtud de todo eso, antes de comenzar la audiencia, le solicité a la juez que diera autorización a Alan para trasladarse por sus propios medios ante los eventuales y subsiguientes llamados del tribunal, a pesar de la oposición del fiscal, la juez acordó. Así que, de ahora en adelante Alan ya no tendría que soportar lo amargo de una simple visita a tribunales. Solo eso le produjo una gran alegría a Alan.

Gracias al retraso, se fijó la audiencia a las 2 de la tarde, en la sala de juicio del ala norte, ubicada en el piso 5 del Palacio Judicial. Por supuesto, que no es lo que esperas ver cuando escuchas la palabra «Palacio», pero sí es una estructura enrejada muy grande e imponente, capaz de devorarte y vomitarte en cuestión de segundos, solo si das un paso en falso en sus instalaciones. Está conformado por 2 sótanos, 6 pisos, y una mezzanina, donde se encuentran más de 100 tribunales y confluyen diariamente más de 1200 personas, entre personal tribunalicio, fiscales, defensores de oficio, personal administrativo, abogados privados, personal militar, policial, y público en general. Allí he pasado una parte importante de mi vida profesional. He vivido momentos dulces y amargos, probado la gloria y la derrota, la alegría y la tristeza. Es el lugar ideal para forjar verdaderos penalistas.

La sala del ala norte es de paredes blancas, con un gran estrado de madera al fondo reservado para el asiento del juez y un escalón más abajo para su secretario. Al frente de ese estrado, hay un atril en el medio, también de madera, que cada parte debe abordar al momento de exponer sus alegatos. Es el lugar para que los grandes oradores se destaquen. A su lado, están los escritorios de las partes, para que la defensa se siente con su representado, del lado izquierdo, y el fiscal con la víctima del lado derecho. Detrás de ellos, se encuentran asientos de madera en forma de bancos, bastante parecidos a los que usan en las iglesias para el público que desee asistir. Sin embargo, solo son ocupados por el vacío y la brisa que sopla desde el ventanal que se sitúa al costado de la sala, por la que, además, entra mucha luz natural que acompaña a la luz artificial del recinto. Las salas de juicio son un lugar que inspiran e infunden un profundo respeto. Después de todo, por aquellas salas se ha impartido justicia a muchos ciudadanos desde hace muchísimos años. Seguramente habrá, en su áspero piso, numerosas lágrimas de llanto y dolor, pero también de alegría, derramadas por los justiciables y sus familiares. Todo tipo de emociones se pueden apreciar en cuestión de segundos en una sala de juicio. El mismo Alan lo viviría pronto en carne propia.

Alan y yo ya estábamos en nuestros asientos. El fiscal con su asistente también. Ya no estaba la doctora Bracamonte, ella se jubiló hace algunos años, ahora, estaba a cargo de ese despacho, el doctor Fernando Acosta, un hombre de unos 45 años, de baja estatura y cabello engominado, quién por alguna razón no llevaba corbata. Limitándose a utilizar camisa de botones abierta. Eso, de entrada, me generó cierta animadversión, pues siento que le faltan el respeto a la solemnidad de la carrera. No es que un traje y corbata te haga más o menos que nadie, se trata de respetar, desde todo punto de vista, hasta con la vestimenta, a la profesión, y en el caso concreto, a un juicio en el que se decidiría la libertad o encarcelamiento de una persona.

Mientras cada quien organizaba sus asuntos fuimos interrumpidos por el alguacil, quien a viva voz manifestó:

— ¡Todos de pie por favor! Hace acto de presencia la titular del despacho trigésimo tercero (33°) en funciones de juicio del distrito centro de La Capital, doctora Maritza Tarazona. —Sin excepción, todos acatamos la orden.

— Pueden sentarse, por favor. —Autorizó la juez, mientras nos daba a las partes una vaga mirada llena de displicencia.

— Se da inicio al juicio oral, según expediente signado con el número 7254-16, seguido en contra del ciudadano Alan Manzano, por la presunta comisión del delito de abuso sexual. Secretario sírvase, por favor, verificar la presencia de las partes. —manifestó a viva voz la juzgadora.

— Se encuentran presentes en esta sala el fiscal Fernando Acosta, el defensor José Custodio Sánchez y el imputado Alan Manzano. —dijo el secretario.

— Antes de comenzar les recuerdo a las partes que el presente juicio es oral, por lo tanto, les exhorto a no leer salvo que se trate de algún dictamen o cita textual que así lo amerite. De igual forma, cumplo con informarles que el juicio no será público sino privado o reservado. Esto por tratarse de un caso donde la víctima de presunto abuso sexual es niño, cuyos derechos debemos garantizar. —Decretó la juez con autoridad—. De igual forma, es mi deber imponer al acusado del procedimiento por admisión de los hechos, recordando que es la última oportunidad procesal para que lo haga, en caso de hacerlo, tenga en cuenta que se le rebajará un tercio de la pena. —dijo mirando en dirección a la defensa—. Póngase de pie, por favor: ciudadano Alan Manzano, ¿desea usted admitir los hechos por los cuales se les acusa? —preguntó la juez.

— No, doctora. —manifestó dubitativo Alan, mientras se levantaba temblando.

— ¿Desea rendir declaración? Recordando que puede hacerlo en cualquier estado del proceso. De hacerlo lo hará sin prestar juramento.

— No, doctora. —contestó Alan con voz vacilante mientras observaba que yo le pelaba los ojos.

— Se les advierte a las partes que tendrán solo 10 minutos para formular sus discursos de apertura. Tiene la palabra el ciudadano fiscal. —continuó la juez.

—Doctora, esta representación fiscal demostrará durante el transcurso del presente juicio, la culpabilidad del ciudadano Alan Manzano, quien el día 02 de mayo, aproximadamente a las 5 de la tarde, se dirigió a la residencia de la ciudadana Kamila Camacaro, quien es su expareja y madre de su hijo, ubicada en la avenida Los Laureles, sector Olivo, edificio Las Carmelitas, apartamento 7C, La Capital, a los fines de visitar y compartir con su hijo de nombre Ricardo de 5 años de edad. Al cabo de unos minutos, la ciudadana Kamila al notar la ausencia de ruido, ingresa a la habitación donde estaba el señor Manzano y nota que está encima del niño, besándolo y simulando movimientos sexuales, por lo que grita y le pregunta: «¿Qué estás haciendo?», a lo que el ciudadano contesta que nada y se retira pavoroso del lugar. Situación que pudo evidenciar la ciudadana Beatriz Galindo madre de Kamila, quien también vive en la referida vivienda y la ciudadana Cristina Fuentes quien es compañera laboral de la señora Kamila y se encontraba en el lugar efectuando unos preparativos para una fiesta. Posteriormente, se practicó el examen forense de rigor que arrojó que efectivamente el niño había sido víctima de abuso sexual y así será confirmado por el médico tratante, que, en contraste con lo manifestado por la víctima, su representante y demás testigos referenciales y expertos, le permite presumir a esta representación la configuración del delito de abuso sexual con penetración previsto en la norma penal correspondiente, y así se demostrará en el presente en juicio. Es todo. —manifestó el fiscal mientras respiraba algo exaltado.

Mientras el fiscal hablaba, pude percatarme como los temblores en el cuerpo de Alan se disparaban, y su respiración también se acelera. A medida que tomaba nota de lo referido, noté también cómo el fiscal había hablado de lo que le convenía a su postura, pero obviamente, poco o nada había manifestado sobre los vacíos e interrogantes que se desprendían de la investigación. Aun así, debo reconocer que había logrado ser claro, preciso y conciso. Algo bueno si ocurrió para mis aspiraciones defensivas. El fiscal se limitó a dar su discurso de pie, pero desde su asiento no tomó el atril de madera situado en el medio destinado para tal fin. Eso hablaba mucho de él, o estaba nervioso y lo traicionó el miedo escénico, o no tenía mucha experiencia. Me dio ánimos pensar que eso equipararía un poco las cosas, ya que en este caso, la defensa anterior había llegado sin pruebas promovidas.

— Tiene la palabra la defensa. Recuerde que solo cuenta con 10 minutos, doctor. —Me informó de nuevo la juez.

Me levanté lentamente y me situé en el podio de oradores para manifestar:

— Muy buenas tardes, ciudadana juez, ciudadano secretario, fiscal y alguacil, quién les habla, abogado José Custodio Sánchez Morante, actuando en mi carácter de defensor privado del ciudadano Alan Manzano, hoy presente en esta sala. Siendo la oportunidad correspondiente para la apertura del presente juicio oral y reservado, y ya habiendo escuchado los alegatos de la representación fiscal, le quiero solicitar al tribunal, como punto previo, que le preste mucha atención a las experticias y testimonios que versen sobre la sanidad mental de mi defendido, toda vez que en ningún momento ha sido controvertido para el proceso, el hecho referente al accidente que sufrió él mismo en fecha 23 de marzo del año 2004, que le produjo una fractura de cráneo que le ocasionó a su vez múltiples patologías neurológicas, que incluso, por orden de la corte de apelaciones le han permitido al mismo mantenerse detenido en su residencia, a través de una medida cautelar de arresto domiciliario y no privado de su libertad. Sanidad mental que, a criterio de esta defensa, está verdaderamente comprometida, al punto que lo priva de su consciencia, configurándose en consecuencia, de conformidad con el código penal, una causal de inimputabilidad por causa de enfermedad mental, que debería poner fin a este juicio. A tales fines, me permito referir de manera textual lo que establece la norma: «No es punible el que ejecuta la acción hallándose dormido o en estado de enfermedad mental suficiente para privarlo de la conciencia o de la libertad de sus actos». En ese sentido, cumplo con informarle que las experticias psiquiátrica y psicológica, que se encuentran en el expediente, fueron realizadas por funcionarios adscritos a la Fiscalía, por lo que solicito, a su vez como nueva prueba, se efectúe un examen psiquiátrico en un órgano competente e imparcial que garantice la finalidad del proceso, que no es otra que establecer la verdad de los hechos. Una vez dicho eso, deseo manifestar que más allá de esa situación referente a la sanidad mental del imputado, que le permita o no ser enjuiciado, demostraré en el transcurso del presente debate, la inocencia del mismo, y para tal efecto, le pido prestar mucha atención a la prueba documental contentiva del procedimiento de prueba anticipada efectuada a la víctima, quien manifestó que en ningún momento su papá tuvo algún contacto inapropiado con él. De igual forma, pido que preste especial atención a la medicatura forense efectuada en su humanidad, que no individualiza al agresor, por lo que lo único que posee la Fiscalía es una investigación construida con base al testimonio de la ciudadana Kamila Camacaro, madre de la víctima, quien ni siquiera observó que el niño estuviese siendo penetrado, o al menos al señor Alan o a su hijo Ricardo sin ropa. Eso, y testigos referenciales de los hechos con base solamente a ese testimonio de ella, que más bien llenan a la investigación de dudas e incongruencias y que ha logrado, por fallas del Estado, mantener encerrado en su casa a un hombre que está enfermo por más de nueve años. Es todo.

Hace unos días atrás, me había reunido con mi madre en mi oficina. Ella fue juez penal por muchos años, cargo que obtuvo por concurso de oposición, por lo tanto, su criterio jurídico como abogada, y su capacidad estratégica es en la que más confío. Después de mucho deliberar, llegamos a la conclusión que necesitábamos, que el médico psiquiatra que siempre atendió a Alan, en virtud de su prestigio, de manera directa o indirecta fuese escuchado, para ello necesitábamos que al menos se abriera la posibilidad de que se realizara un nuevo examen psiquiátrico, pues ya sabíamos de antemano, que los de la Fiscalía, por alguna razón, referían que su juicio de valor o capacidad de discernir entre el bien y el mal no estaba afectada, y los del doctor Francisco Rojas, médico tra-

tante de Alan, no fueron promovidos. Solo había una oportunidad para hacer esto, solicitarlo durante la apertura de juicio como punto previo y nueva prueba, y rezar para que el fiscal no se opusiera. Todo con el fin de dar la lucha en dos frentes; en el tema de la inimputabilidad por enfermedad mental y, paralelamente, defenderlo por falta de actividad probatoria que verdaderamente lo incriminara. Tenía muy presente que para que exista una condena, el juzgador no debe tener un ápice de duda sobre la culpabilidad del condenado. No era un juicio fácil, eso ya lo sabíamos, pero había que intentarlo todo. De allí el desarrollo del discurso que usaría en la primera audiencia.

La juez mientras nos escuchaba, iba tomando nota de todo lo que íbamos diciendo. Al final, después de verificar detenidamente el expediente, probablemente para validar el punto sobre la experticia psiquiátrica, manifestó:

— Esta juzgadora también tiene serias dudas respecto a la capacidad mental del acusado, por lo tanto, acuerda la solicitud de la defensa de ordenar la realización de una nueva prueba, específicamente un examen psiquiátrico a efectuarse en la Unidad de Psiquiatría Forense. —Decretó la juez Tarazona.

El fiscal no manifestó opinión alguna. Aun cuando hubiese querido celebrar a través de algún gesto corporal, mantuve absoluta calma y serenidad. Así que solo me limité a solicitar que me designaran «correo especial», para yo mismo poder llevar los oficios que ordenan dicha prueba y no tener que esperar por el servicio de alguacilazgo. Solicitud que también fue acordada.

— El juicio va a continuar mientras se realiza el examen correspondiente. Este es un caso que presenta demasiado retardo procesal, así que exhorto a las partes a efectuar lo conducente para que comparezcan los testigos. Bueno, esto es solo con usted doctor Acosta, ya que por lo que veo aquí la defensa no promovió pruebas —dijo la juez con un tono algo irónico y sarcástico a mi manera de ver.

— No fue mi culpa, doctora. Pasa que el anterior abog... —traté de decirle a la doctora cuando me interrumpió y con un: ¡Eso no es asunto mío! Me sentenció.

— Doctora, partiendo de lo que usted misma está manifestando, solicito incorporar de una vez alguna prueba documental. Tal vez la referente a la prueba anticipada. —le pedí a la juez después de respirar profundamente para pasar el trago amargo de su desplante anterior.

Para mi objetivo, el fiscal manifestó estar de acuerdo.

— Se incorpora prueba documental referente a la prueba anticipada efectuada a la víctima. —Sentenció la juez.

Dicha acta fue leída de manera textual. Incorporar esa prueba también fue un gran logro. Me interesaba que la juez, desde el mismo primer momento, estuviese muy clara y consciente de la declaración que efectuó Ricardo, para así lograr cambiar un poco la percepción negativa que seguramente pudiese tener hacia el caso.

— Se da por concluida la audiencia. La próxima se realizaría el 11 de marzo a las 12 del mediodía. —La juez cerró su carpeta de papeles para levantarse de su escritorio.

— ¡Todos de pie, por favor! —Manifestó el alguacil, anunciando el retiro de la juez de la sala de audiencia.

A mí manera de verlo, la defensa había ganado el primer round. Aunque lo realmente importante era ganar el último.

Nota jurídica del autor
En el discurso de apertura las partes deben exponer su «teoría del caso», que vendría siendo la tesis acusadora o defensiva, donde deberá expresarse a través de un discurso perfectamente articulado ¿Cómo? ¿Cuándo? ¿Dónde? ¿Por qué? Y ¿Con qué pruebas demostrarán su pretensión? Es una audiencia para que los grandes oradores se destaquen. En el ejercicio del derecho, he visto personas verdaderamente inteligentes pero que no son nada buenas hablando en público, y eso supone un gran problema para el abogado y su cliente, ya que la mayoría de los procesos, sin importar la rama que ejerzas, son verbales u orales. Dicho de otra manera ¡Debes saber hablar en público! ¡No basta con tener los conocimientos! Ser un buen orador pasa por mucho más que tener un buen tono de voz, pues no es solo lo que dices, sino cómo lo dices, así que tu capacidad de síntesis debe estar a la orden del día y perfectamente articulada con tu elocuencia, para que logres mantener la atención del juez durante tu discurso, y así poder señalar los puntos álgidos en que se centrará tu tesis y dónde deseas que preste mayor atención.

CAPÍTULO 10
NUEVO EXAMEN PSIQUIÁTRICO

Año 2019, Abril

Dos meses después de la primera audiencia, se fijó la elaboración del nuevo examen psiquiátrico de Alan. Había logrado ser designado como correo especial para consignar el oficio ante la Unidad de Psiquiatría Forense que lo ordenaba, eso me permitió, a su vez, solicitar la cita con el médico psiquiatra correspondiente. Me pidieron estar el día 11 de abril, a las 12 del mediodía, con el paciente y todos los exámenes médicos que guardaban relación con su patología.

Al verificar todos los exámenes médicos de Alan, me percaté que los mismos eran de muy vieja data. Pensé que, seguramente, el médico forense no podría apoyarse en ellos. Inmediatamente, le pedí a su hermana Lucía que ubicara la oficina del doctor Francisco Rojas y le solicitara uno nuevo actualizado. En virtud de la importancia o relevancia de aquello, le pedí más bien que cuando estuviese en la oficina del doctor, si era posible, y él no tenía ningún problema, me llamara y me lo comunicara. Así lo hizo Lucía. Recibo su llamada con premura.

— Doctor, buenas tardes, ¿cómo está? —Le pregunto por cordialidad—. Ante todo, muchas gracias por aceptar esta llamada, le habla José Custodio Sánchez. Debo decirle que usted fue mi profesor de medicina legal durante el postgrado en derecho penal, así que aprovecho la oportunidad para expresarle todo el respeto que le tengo. —Le manifesté con agrado.

— Buenas tardes, José Custodio, mucho gusto, un placer igualmente, gracias por tus palabras. ¿En qué puedo ayudarte? —Me contestó de manera servicial.

— Doctor, yo soy el abogado defensor de Alan Manzano, hace pocos días comenzó su juicio y la juez ordenó la práctica de una nueva evaluación psiquiátrica, pero debo consignar ante la Unidad de Psiquiatría Forense un informe actualizado de su médico tratante que siempre fue usted, ¿Habrá posibilidad de que nos ayude con eso? —Le pregunté de inmediato.

— Claro, por supuesto, cuenta con eso. —Tosió fuerte antes de responderme.

— Doctor, disculpe, pero yo quiero preguntarle algo que requiero de verdad saber, ¿el juicio de valor o la capacidad para discernir entre el bien y el mal de Alan, se vio afectada por su accidente? —Fui al grano en lo que quería saber.

— Por supuesto, José Custodio, la gravedad de su lesión fue tal que afectó en gran parte su actividad neurológica y capacidad intelectual. —Me contestó el doctor sin dudarlo.

— ¿Será posible, doctor, que usted de manera textual y de la manera más detallada posible me escriba eso en su informe actualizado? —Era mi oportunidad de acortar la agonía en este caso, pensé.

— Claro, José, y es que es así tal como tú me lo acabas de referir, Alan no puede distinguir entre el bien y el mal. —Me refirió nuevamente de manera concisa.

— Gracias, doctor, ha sido un placer, hasta luego.

— Hasta luego y éxito, José Custodio. —Esperé que respondiera para luego cortar la llamada.

Dos días pasaron antes de que Lucía me trajera el informe del doctor Rojas. Su rostro mostraba cansancio aunque ella procuraba demostrar tener fuerzas para esta situación con su hermano. Su visita fue breve. Realmente cada segundo cuenta en este caso. Me dispuse a leer el informe mientras caminaba a mi escritorio y me sentaba en él.

«Se trata de un paciente que fue visto por primera vez por mí, en la oportunidad que tuvo un accidente de tránsito, hace aproximadamente 14 años, durante el cual sufre importante fractura de cráneo, con conmoción cerebral severa y pérdida del conocimiento por período muy prolongado. Ha quedado este paciente, posteriormente a este evento, con secuelas como disartria (dificultades para pronunciar) que se agrava cuando tiene algún conflicto y episodios psicóticos de origen orgánico. Durante los mismos, ha presentado episodios depresivos o hipomaníacos (euforia) que se presentan en forma recurrente y en ocasiones alucinaciones e ideas delirantes.

Presenta un cambio permanente de la personalidad previa, con síntomas como impulsividad, dificultades en la concentración, trastornos de memoria, fácil irritabilidad, y en ocasiones, agresividad que puede llegar a ser física. Se había tornado comprador compulsivo antes de su detención.

Ha recibido tratamiento a base de Olanzapina (10 mg/ día), Lamotrigina (50 mg/ 2 veces al día) y Quetiapina

(25 mg/ HS), mejorando su condición, sin embargo, ha presentado episodios de agitación psicomotriz ocasionales, en los cuales se muestra agresivo.

Impresión diagnóstica:
1. Trastornos mentales debidos a lesión o disfunción cerebral con síntomas afectivos y psicóticos (Código F06.3/Clasificación internacional de las enfermedades mentales).

2. Cambio persistente de la personalidad por lesión cerebral (cod. F07.2/CIEM).
Este cuadro clínico que presenta Alan, tiene carácter crónico, y probablemente lo tenga de por vida; requiere de un tratamiento adecuado y cuidados permanentes de muy largo plazo. Esta condición altera en alto grado su capacidad de juicio, raciocinio y control sobre los actos que realiza, sobre todo, en los momentos en que se encuentra en crisis. Actualmente, no está en capacidad de decidir adecuadamente sobre eventos o decisiones importantes en su vida. Tiene un tratamiento que debe ser riguroso, ya que en el pasado cuando lo ha tomado de manera irregular, hay una recaída rápida de su nosología.»

Llegó el día de la cita de Alan. Era momento de realizar su evaluación psiquiátrica por parte de la Unidad de Psiquiatría Forense. Lo acompañé, y además, llevé el informe elaborado por el doctor Rojas, su declaratoria de incapacidad por el Seguro Social, tomografías, resonancias magnéticas y, en líneas generales, todo estudio o informe médico que reflejaba su situación. La nueva evaluación psiquiátrica estuvo a cargo del doctor Esteban Gervasio, a quién solo observé de lejos, pues su secretaría me pidió esperar afuera. Minutos antes, traté de calmar a Alan quien estaba más tenso y ansioso que de costumbre, me limité a decirle que solamente hablaría con un médico y que le respondiera todas las preguntas que le hicieran.

Al cabo de una hora y media, el doctor me mandó a llamar y pidió comparecer nuevamente dentro de una semana a la misma hora, pero esta vez en compañía de la señora Isabel, madre de Alan, cuya entrevista era necesaria para culminar el informe psiquiátrico. Situación que me desconcertó mucho, ¿por qué quería hablar con la mamá de Alan? ¿Qué le había dicho él allá adentro? No había nada que yo pudiera hacer. Así que, la semana siguiente, me apersoné nuevamente con la señora Isabel, quien estaba tan nerviosa como Alan la semana anterior. Solo me limité a sugerirle que le hablara con toda la verdad y franqueza al doctor. Después de todo, la enfermedad mental de Alan derivada de su accidente de tránsito, era una verdad del tamaño de una catedral.

En la patología psiquiátrica de Alan aún había un universo de lagunas, incógnitas e interrogantes para mí. Desconocía mucho, desde el punto de vista médico, psicológico y psiquiátrico, sobre su condición, y esto había que remediarlo urgentemente. Mi sospecha sobre si de verdad alguien se había valido de alguna influencia para que los exámenes psiquiátricos y psicológicos promovidos por la Fiscalía dieran el resultado que dieron, cada vez se hacían más grandes. Yo debía lograr efectuar un extraordinario interrogatorio en juicio al médico psiquiatra y psicólogo actuante, para obtener la verdad. Necesitaba asesoría y mentoría, así que me valí de mis relaciones públicas para contactar a la licenciada Sara Betancourt, quien ejercía la psicología en la ciudad Jardín. Es una mujer de unos 35 años a quien conocí gracias a mi vida pública como profesor y conferencista. Busqué su número en mi directorio y le escribí por mensaje de texto:

José:
Licenciada Sara muy buenos días, ¿cómo me le va?

Sara:
Doctorísimo, buenos días, un gusto saludarlo. Por aquí muy bien. ¿Usted? ¿En que lo puedo ayudar?

José:
Muy bien, trabajando mucho.
Pensando que eres la mujer idónea para que me ayudes con algo.

Cómo sabes soy abogado penalista y estoy trabajando un complejo caso de abuso sexual, y mi cliente presenta una severa enfermedad mental.

Los psiquiatras y psicólogos de Fiscalía manifestaron en su evaluación que está cuerdo, pero su médico tratante dice que no.
Para mí está loco, pero quisiera tu opinión profesional. ¿Será posible?

Sara:
Claro que sí doctor, por aquí a la orden. ¿Tienes algún diagnóstico? ¿La persona está presa? ¿Quién vela por él?

José:
¿Tienes problema si te envío una nota de voz y te envió a su vez fotos de los informes médicos?

Sara:
No hay problema, excelente.

No perdí más tiempo y le envié un audio de 7 minutos, donde le explicaba los pormenores del caso de Alan. Sobre todo a nivel médico, lo que me costaba entender aun. Además, le envié fotos de todos los exámenes y evaluaciones médicos de Alan. Incluidos los de Fiscalía.

José:
Otra cosa licenciada, dependiendo de lo que veas necesito las herramientas para destruir a los expertos de la Fiscalía durante el interrogatorio en juicio.
Que sinceramente pienso que mintieron.

Sara:
Jajajaja
Recibida la nota y las fotos.

Continué con mi trabajo administrativo en mi oficina. Así pasó más de una hora y media, cuando Sara me envió muchísimas notas de voz con sus conclusiones, observaciones y recomendaciones. Justo lo que necesitaba para entender tantos términos médicos.

(Audio) Sara:
«Me parece extraño que establezca que la disminución global de las capacidades cognitivas de una persona no interfiera con su juicio social, esto es falso, toda vez que si interfiere, ya que las personas no tienen las mismas habilidades sociales, capacidad de razonamiento, memoria para recibir y transmitir información.
Por un lado, refieren que hay evidencia de daño neurológico de moderado a severo, pero contradice esa información cuando refieren que no interfiere con su juicio social y capacidad volitiva, que es la capacidad que tiene para controlar sus actos y comprender. No debería negar que no interfiere con eso.
No hay evidencias de ideas delirantes que tuviesen que ver con actos sexuales. Eso se nota cuando la persona no tiene actividad sexual, no tiene interés romántico o

se siente solo. El psiquiatra refiere que hay episodios
psicóticos, depresivos o hipomaníacos, lo que pareciera
que tiene un diagnóstico bipolar, que con el tiempo
pudiese evolucionar a esquizofrenia. Considero que
la defensa debería versar sobre el punto que, si bien
es cierto que tiene una enfermedad mental, nunca ha
tenido tendencia a esas inclinaciones que lo llevaran a
hacer daño de esa manera.»

El último audio lo complementa con una foto del libro que estaba consul-
tando, subrayando lo que me acababa de comentar. La discrepancia de los
informes del doctor Rojas y los señalados por la Fiscalía, definitivamente,
distaban muchísimo. Estos audios le dieron fuerzas a mis sospechas.

(Audio) Sara:
«Me parece que, en tal caso, él implica un riesgo para
sí mismo, pero en ningún momento se refleja en el
informe que pudiese hacerle daño a otros.
Es importante que preguntes qué instrumento de evaluación o test se utilizó, y dependiendo de eso conocer
el grado o nivel de gravedad en el diagnóstico. Por lo
general mientras más cerca de 100, más inteligente es
la persona.
El test millón III es el más significativo para indicar
que él pudiese ser riesgoso o pudiese haber cometido
el acto. Los demás son muy básicos. Sin embargo,
la misma evaluadora señala a posterior que quedó
invalidado por cuanto él no pudo ejecutar toda la
prueba como se esperaba e incluso no contestó ciertas
preguntas cómo se debía. Así que mal pudiese valerse
de este instrumento para arrojar el diagnóstico que en
definitiva arrojó.»

Me envió otra imagen señalando el fragmento del informe del cual debía preguntar de dónde venía ese resultado, qué instrumento de estudio usaron para esas conclusiones. Realmente, estos audios me daban los insumos para armar un buen interrogatorio de defensa.

(Audio) Sara:
«Pregunta durante el interrogatorio: ¿Qué instrumento de evaluación utilizó para determinar la perturbación sexual?
En tu interrogatorio debes lograr profundizar sobre cuáles son las ideas delirantes que presenta el paciente en momentos de crisis y cuál es o era su comportamiento en estado de manía, depresión o durante un episodio psicótico.
Las personas con estados maníacos suelen ponerse agresivos y realmente no tienen conciencia sobre sí mismos, por lo que pudiese haber cometido ese acto sin saberlo.
No todos los pacientes psiquiátricos son peligrosos.
Los diagnósticos se guían por manuales, sería interesante saber qué edición de manual diagnóstico utilizaron los expertos. Así podrá conocerse si efectuaron la evaluación conforme a las recomendaciones actualizadas.
Deberías preguntar en qué medida se encuentran disminuidas las capacidades cognitivas del paciente. ¿En qué porcentaje? O sino aclara: ¿Qué escala utilizó el evaluador? Y pregunta además, ¿específicamente, cuáles procesos mentales están disminuidos? Pues el informe solo establece global.»

Ese último audio me resonó mucho en la cabeza. Escuchaba y tomaba nota de los puntos que debía resaltar en mi interrogatorio. Cuando no se tiene claro los términos médicos de un informe, lo mejor es consultar a los expertos que traduzcan en términos más prácticos y sencillos.

(Audio) Sara:
«Cualquier persona que esté atravesando una situación difícil, podría salir en un examen con la capacidad global disminuida. Luego la vuelven a evaluar y sale mejor. Por eso es importante precisar y aclarar este punto.
Me parece que los informes, además de contradecirse, generan múltiples dudas e interrogantes, y en una evaluación de esta naturaleza no deben dejarse espacio para suposiciones o interpretaciones.»

Las recomendaciones de la psicóloga no hicieron más que reafirmar mis dudas y cuestionamientos sobre todo el caso. ¿Hubo de verdad una conspiración para encarcelar a Alan, e inculparlo por algo que nunca ocurrió? Me pregunté una vez más.

Parecía tarde para demostrar eso. Alan se encontraba en juicio, en el banquillo de los acusados. Solo quedaba demostrar su inocencia o inimputabilidad. Y mi buena amiga Sara me había dado las armas correctas para ir a la guerra, así que con base en sus recomendaciones, preparé un arduo interrogatorio para estos expertos.

CAPÍTULO 11
SEGUNDA Y TERCERA AUDIENCIA

Alan estaba autorizado por el tribunal a trasladarse por sus propios medios. Su madre, la señora Isabel, contrató a un taxista para que lo llevara y buscara, pero mi empatía hacia él era tal, que preferí buscarlo yo mismo en su casa y llevarlo a las audiencias. Era lo mínimo que podía hacer, él evidentemente no estaba en sus cabales. A mi criterio era inocente de todo aquello, su mamá era una señora mayor, no tenía tanto dinero para gastarlo en taxis, y además me había contratado mi buen amigo Oliver. Lo hice con mucho gusto. Digamos que traté de dar más de lo que debía y vaya que se sintió bien. Es la única vez que he llegado hasta ahí por un cliente.

11 de marzo de 2019

La segunda audiencia se efectuó un día lunes a las 5 de la tarde. Así como la primera, todos los actores legales, juez, alguacil, fiscal, imputado y defensor estábamos presentes. Fue incorporada la prueba documental concerniente a la evaluación psicológica, suscrita por la licenciada Susana Ramírez, psicóloga forense adscrita al Departamento de Psiquiatría de la Policía Científica, efectuada en fecha 19 de agosto del año 2010 al niño Ricardo, para su lectura. Aún faltaba que la misma rindiera declaración y fuese interrogada por las partes. Había mucho que necesitábamos saber sobre el perfil psicológico de Ricardo en virtud de aquellos hechos, y que las conclusiones del examen no lo establecieron de manera clara.

Fue una presentación corta. La juez fijó la siguiente audiencia para el mes de abril.

03 de abril de 2019

Era miércoles, 10 de la mañana y la juez nos pidió a las partes entrar a su despacho.

— Buen día abogados. Doctor Acosta, me informa mi secretario que no compareció ningún testigo a declarar. ¿Por qué? ¿Ha podido usted conversar con ellos? —Preguntó la juez de manera incesante.

— Buen día doctora, lo lamento. Le aseguro que en la próxima audiencia vendrá alguno —contestó el fiscal.

— Se le agradece, doctor. —manifesté evidentemente frustrado. Yo venía preparado para interrogar a quien fuese y odiaba la idea de tener que esperar a otra audiencia.

— No queda de otra que incorporar una prueba documental. Podría ser la referente al expediente instruido por la Oficina con Competencia en Asuntos de Niños y Adolescentes —dijo la juez mientras verifica las actuaciones.

— Me parece bien, doctora —dijimos prácticamente al unísono el fiscal y yo.

Se dio lectura de la misma. Dicha oficina fue el primer órgano receptor de la denuncia de Kamila. Su actuación se limitó a dictar una medida de protección en favor de la víctima: La prohibición de que el presunto agresor se acerque al ofendido. Aún faltaba que rindiera testimonio la funcionaria adscrita a esa unidad, Ruth Gómez, quien fue promovida por la Fiscalía en su escrito acusatorio.

— Por suerte, hoy pudimos incorporar una prueba para evitar que se interrumpa el juicio, pero le recuerdo, una vez más, que solo contamos con testigos de Fiscalía, doctor Acosta. No le falle a este juicio en la próxima audiencia por favor. —manifestó la juez antes de dar por concluida la audiencia.

Las pruebas documentales son documentos escritos de carácter fidedigno y leídos a viva voz durante la audiencia de juicio, sirven además para mantener vivo el proceso, ya que, si después de 10 días desde la última audiencia no se incorpora otro medio de prueba, se da por interrumpido el juicio. Lo que quiere decir, que el mismo tuviese que comenzar desde el inicio sin importar lo avanzado que pueda ir. La misma situación ocurriría si el juzgador fallece, renuncia o es despedido, por cuanto, conforme a la norma procesal penal, un mismo juez debe presenciar de manera ininterrumpida todo el debate. ¡Y tiene lógica!, pues ¿qué pudiese sentenciar un juez en un caso cuyos testigos no escuchó? Esto claro, que supone cierta presión para las partes, en el sentido que haces lo posible para que un juicio, una vez que ya fue iniciado, llegue a feliz término.

He visto y escuchado, durante mi ejercicio profesional, de colegas que han buscado interrumpir a propósito un juicio que iban perdiendo, para así comenzar de nuevo y buscar que les vaya mejor en esa segunda oportunidad. ¿Constituye esta acción una falta de carácter ético o, más bien, sería una estrategia válida en aras de alcanzar los objetivos propuestos? ¿El fin justifica los medios? Muchas veces me planteo estas preguntas, pero es Nicolás Maquiavelo quien parece ser el único desquiciado en tener respuestas, como lo hizo en su fantástica obra sobre política titulada *El Príncipe*. El derecho siempre nos pone a prueba.

CAPÍTULO 12
CUARTA CONTINUACIÓN DE JUICIO

Para arribar a la cuarta continuación del juicio, tuvimos que pasar por dos intentos frustrados en virtud de que el tribunal no dio despacho. En el mundo judicial, los días se dividen en días de despachos y sin despacho, que vendrían siendo hábiles e inhábiles. Los días que no hay despacho se prestan para que el tribunal labore de manera administrativa, pero al ser un día inhábil, no transcurren los lapsos procesales del tribunal, y como les acabo de comentar, no se pueden efectuar audiencias de ninguna naturaleza. Uno como abogado no puede saber cuándo habrá despacho y cuándo no. La regla debería ser que siempre se despachará, pero en la práctica, te puedes conseguir con la puerta cerrada del tribunal y un gran cartel que dice: «No hay despacho». Es una facultad del juez decidir cuándo hacerlo. Estos días son los que, uno como abogado privado, más lamenta y que menos valoran los clientes, pues aun cuando no hiciste ninguna actuación jurídica, sí tuviste que desplazarte al circuito en cuestión, para devolverte con las manos vacías. Dicho de otra manera, perdiste el día.

La vida de un abogado en ejercicio no conoce de horarios, hora de almuerzo, hambre, sed o ganas de ir al baño. Por eso siempre suelo salir de casa bien desayunado, pues no se cuándo será mi siguiente comida. La experiencia me ha llevado a cargar conmigo siempre un kit para un día de audiencia. En el llevo una botella pequeña con agua y algún snack, también un pañuelo para lidiar con el sudor, un chocolate dispuesto a obsequiar, hojas blancas, bolígrafo, papel carbón, huellero dactilar, pendrive y cualquier instrumento o material idóneo que crea pueda hacerme la vida un poco más fácil durante una jornada tribunalicia.

Una nueva continuación de juicio había sido fijada para el día jueves 2 de mayo a las 11:30 de la mañana. Solo había comparecido un testigo a declarar, o mejor dicho, un experto, específicamente el trabajador social adscrito a la Fiscalía, de nombre Antonio Barrios, quien fue el encargado de efectuar la experticia social No. 403 de fecha 18 de agosto del año 2010, a la víctima.

Interrogar y contrainterrogar tiene su complejidad, y para hacerlo bien no basta con tener una buena oratoria. Es planificación, estrategia, agilidad y rapidez mental. Toda vez que una pregunta importante se pase por alto, puede dejar por fuera algo que debió ser demostrado. Y una pregunta que permita que se cuele, puede poner en aprietos mi pretensión. Un interrogatorio no tiene límite de tiempo, y está previsto en la norma procesal penal. En líneas generales, con las reglas de interrogatorio existen preguntas permitidas como las abiertas y cerradas; y las prohibidas que son las capciosas, sugestivas e impertinentes, hay que estar muy pendiente de identificarlas en el acto.

Todo puede ocurrir verdaderamente rápido. ¿Qué se busca con un interrogatorio? Lograr que el declarante conteste sin que tenga tiempo a pensar mucho su respuesta. Ahora, eso es un arma de doble filo. Hay que ser muy hábil y rápido para impedir alguna pregunta prohibida. Hay que estar dispuesto a objetar a viva voz y de manera veloz, ese tipo de pregunta, para que el juez resuelva la misma según el fundamento que brinde la parte. Realmente, es una acción de agilidad mental.

Recuerdo la anécdota de una vieja amiga, hoy día juez penal jubilada, me contó cómo en un juicio seguido a un hombre por robo, la defensa interrogaba a la víctima quien, en su declaración inicial, había manifestado solamente que era un hombre sencillo y humilde que siempre estaba mirando hacia el piso mientras se desplazaba, y que no entendía porqué lo habían robado, si él no se metía con nadie. En virtud de eso, la defensa con una actitud bastante soberbia, pues daba por sentado que nadie podría reconocer o señalar a su defendido como autor material del hecho, preguntó: «Ya que usted siempre está viendo para el piso mientras se desplaza, podemos asumir que usted no pudo observar a quien le efectuó el robo ¿correcto?». A lo que el hombre contestó: «Debe ser que usted no va a subir la cara cuando le ponen una pistola en la frente, quién me robó fue el señor que está ahí sentado», señalando al acusado y causando de inmediato mucha risa entre el público asistente y miembros del tribunal.

Una pregunta mal hecha podría, incluso, llevar a tu defendido a prisión. Es por eso que, como interrogante, hay que llevar un cuestionario previamente elaborado que busque las preguntas adecuadas para demostrar la teoría del caso. Más, obviamente, las preguntas que surjan de manera espontánea en virtud de la declaración del interrogado. Claro, que un fiscal, en virtud de la inmensa cantidad de casos que lleva, difícilmente tenga tiempo para esto. La defensa privada por su parte, en teoría, tiene más tiempo, y no solo para eso, sino también para preparar en su oficina a sus testigos, entrenarlos para que declaren bien, no para que mientan durante el proceso, ya que eso constituye un delito. Aunque, actualmente, ese no es mi caso, pues no tengo a quién preparar en este juicio, pues mi antecesor no promovió prueba alguna.

Creo que comprender estos puntos, hace que tenga más sentido los interrogatorios siguientes, y como dije, ese día le correspondía declarar al licenciado Antonio Barrios, quien luego de ser plenamente identificado, tomar el juramento de ley y ser advertido por la juzgadora que en caso de mentir podría ser juzgado por el delito de «falso testimonio», manifestó:

— Se trata de una experticia que realicé en el año 2010 en relación al niño Ricardo Manzano, quien había sido abusado sexualmente presuntamente por su papá. Se trataba de un niño con un comportamiento acorde a su edad, expresivo y con dificultad para ubicarse en fecha y espacio respecto a los hechos que tenían que ver con el padre. —manifestó tranquilamente el experto.

Se le cedió la palabra al fiscal de la Fiscalía Capital, que por ley, por ser el promovente del testigo, le corresponde interrogar primero. Luego interroga la defensa y por último, si lo considera, el tribunal.

— ¿Diga usted qué busca un trabajador social con este tipo de experticias? —Preguntó el fiscal.
— Determinar el grado de vulnerabilidad en que se encuentra la víctima. —contestó el experto mientras se ponía sus lentes.
—¿En qué consiste la misma? —Comenzó a indagar el fiscal.
— Se efectúa un abordaje completo, donde se evalúan actitudes y aptitudes, a fin de determinar dicho nivel de vulnerabilidad.
— ¿En la experticia efectuada al niño se aprecia algún tipo de esa vulnerabilidad que usted refiere? —Insistió la Fiscalía.
— Sí. —respondió en automático el experto.
—¿Qué tipo de vulneración?
— En cuanto a sus derechos.
—¿Se logra apreciar quién fue el agresor?
— Sí, el papá del niño. —manifestó bajo el asombro de los presentes.
—¿Presentó el niño un discurso válido?
— Sí.
—¿Efectuó usted algún tipo de recomendaciones?
— Sí, efectuar tratamiento psicológico.

— No más preguntas, doctora. —manifestó el fiscal con cara de satisfacción y me cedieron el derecho de interrogar:

— Buenos días, licenciado. No comprendo, ¿Cómo usted pudo determinar con una experticia social que el agresor del niño fue su padre? — pregunté con tono sarcástico.

— Porque él me lo dijo.

—¿Qué fue lo que le dijo? —Pregunté de nuevo con cara de pocos amigos.

— Que su papá se le montó encima. —contestó algo incomodado.

—¿Pero le dijo acaso que lo penetró? —Insistí viéndolo a los ojos.

— No.

—¿Le dijo que le tocó sus partes? —No dejé de mirarlo a los ojos.

— No. — contestó mientras bajaba la mirada.

—¿Por qué en el informe, en el renglón de «necesidades detectadas», usted manifestó que ninguna?

— No recuerdo. Fue una experticia que efectué hace mucho tiempo.

—¿Usted me está diciendo que, en sus conclusiones, refiere que el niño tiene un comportamiento acorde a su edad cronológica y que además le refirió que en ningún momento su papá le tocó sus partes y que tampoco lo penetró? —Pregunté subiendo un poco el tono de voz.

— Sí. —contestó evidentemente intimidado.

Culminé el interrogatorio y como el tribunal no efectuó más preguntas, se dio por concluida la audiencia.

Comencé a guardar mis cosas en mi maletín. Todos los asistentes hacían lo propio para ir saliendo de la sala de audiencia. Solo escuchaba los murmullos de las personas en los pasillos de los tribunales. Alan se mantenía a mi lado, debía llevarlo a su casa, como me comprometí. Seguí mi recorrido hasta salir del palacio hacia mi vehículo. Al día de hoy no sabría decirles quién ganó este round. El fiscal había logrado que le dijeran ciertas cosas que le convenía a su pretensión, y yo, por mi parte, había logrado, de alguna manera, revertirlas o desvirtuarlas con preguntas abiertas, esas que le permiten al interlocutor expandirse en su respuesta;

y cerradas, que son aquellas que solo admiten un tipo de respuesta: «Sí» o «No». Quedaba en manos de la juez la manera de valorar dicho testimonio.

Enciendo el auto e inmediatamente activo el aire acondicionado. Alan entró como copiloto en silencio. Pienso que el fiscal se quedó muy corto con el interrogatorio, pudo y debió preguntar más, por ejemplo, qué técnicas se utilizaron para efectuar la experticia en cuestión. La misma experticia escrita refiere que fueron: la observación, entrevistas semiestructuradas, entrevista familiar, familiograma, historia social y registro fotográfico. Considero que debió hacer que el experto definiera y explicara cada una de ellas. Yo no lo iba a hacer, mientras menos hablara mejor. Aun así, pienso que el fiscal no se dio cuenta del daño que hizo su corto interrogatorio.

Sigo andando hasta la casa de Alan, al ritmo del tráfico de una hora pico. Pero no dejo de reflexionar en la actuación de mi colega. Me pregunté: ¿cómo había logrado que el experto manifestara que el niño había identificado a su agresor?, ya que, en la misma experticia escrita, el niño solo refiere que su papá se le «montó encima», pero nunca sin ropa, ni mucho menos que lo penetró, y por eso le pregunté lo que le pregunté; y por último, ¿por qué dijo todo eso si él mismo había puesto «ninguna» en el renglón de «Necesidades detectadas»?

Ya estaba listo para la siguiente audiencia.

CAPÍTULO 13
QUINTA CONTINUACIÓN DE JUICIO

Agosto, 2019

Para la siguiente continuación del juicio hubo que esperar 4 meses. La juez tuvo que ser intervenida quirúrgicamente y estuvo de reposo. Afortunadamente, para el proceso no se designó a un nuevo juez, y como el tribunal obviamente no despachó en todo ese tiempo, pues no se interrumpió el juicio.

La mañana del viernes, del 16 de agosto, le correspondió declarar al licenciado Wilfredo Domínguez, en su carácter de trabajador social adscrito a la Fiscalía. Él fue quién efectuó la experticia social al entorno familiar de la víctima y del victimario, quien luego de ser plenamente identificado y juramentado por la juez, manifestó:

— Se trata de cinco entrevistas semiestructuradas individuales y dos familiogramas que realicé al entorno de la víctima y del victimario, en un caso de presunto abuso sexual del padre al hijo. —dijo Domínguez con serenidad.

— ¿A qué personas específicamente le efectuó usted las entrevistas? —Tuvo la palabra el fiscal de la Fiscalía Capital.

— Al supuesto agresor, sus padres, y a los abuelos del niño abusado. —contestó el experto con un tono de voz neutral.

— ¿Puede describir la entrevista efectuada al abuelo materno de la víctima, ciudadano Juvenal Camacaro? —Preguntó el fiscal a Domínguez.

— El señor comunicó que el día que ocurrieron los hechos estaba trabajando, y que se enteró de los mismos cuando llegó a su casa, pues se lo contó su esposa, quien le manifestó que su hija había notado extraño a Alan ese día, y que él se había metido al cuarto del niño a jugar con él, Dios sabe qué estaban haciendo. Ella estaba en la sala con una compañera de trabajo y al entrar al cuarto vio una situación que no le gustó, no sé qué exactamente. Alan tuvo un accidente de tránsito hace un tiempo y no sé si eso influyó en su capacidad, pues antes no tenía esas inclinaciones de violador, de hecho trabajaba, se vestía bien y parecía un hombre normal. —manifestó el trabajador social.

— ¿Describió el señor Camacaro qué clase de relación tenía con Alan? —Volvió a preguntar el fiscal.

— Manifestó que rara vez hablaban entre ellos, que él solo sabía que era el novio de su hija, que antes del accidente era un hombre bastante normal al que le gustaban las fiestas, el alcohol y vestir bien. Cuando embarazó a su hija manifestó que lo increpó, pues le había dicho que no se casaría con ella. Luego de que tuvo el accidente, nació su nieto y rápidamente notó que ya no era una persona normal, pues no podía ni hablar. No obstante, reconoció que el nacimiento de su nieto fue muy importante para él, al punto que siempre le enviaba dinero para los gastos, sin embargo, a veces lo veía y luego desaparecía por un tiempo hasta que ocurrió el evento de la violación. —concluyó Domínguez sin titubeo en sus palabras.

— ¿Cuál fue el impacto que le causaron los hechos al señor Camacaro? —Prosiguió la Fiscalía.

— ¡Objeción, doctora! La pregunta fiscal es impertinente, toda vez que la eventual respuesta de la misma, en nada le importa al proceso, pues no estábamos debatiendo en el presente juicio los sentimientos que pudiese tener un testigo referencial en relación a los hechos. —exclamé con vehemencia.

— ¡Al proceso claro que le importa la respuesta en cuestión! —manifestó el fiscal como contestación a mi objeción.

— Sin lugar a la objeción de la defensa. Se le cede la palabra al experto para que responda la pregunta. —manifestó la juez mientras me daba una vaga mirada.

Esto era inaudito. Dicha pregunta era completamente impertinente y prohibida. Estoy consciente que una pregunta impertinente es aquella que nada tiene que ver con el proceso o su finalidad. Así como las preguntas sugestivas que sugieren o infieren la respuesta en la misma pregunta. O las capciosas, que buscan confundir al interlocutor.

— Manifestó que tomó una actitud normal, en virtud de su trabajo y experiencia como policía, y no podía creer que eso hubiese ocurrido en su propia casa. Manifestó además que no entendía cómo alguien podía hacerle eso a su propio hijo. También refirió que estaba tranquilo por cuanto notaba que el niño, a pesar de algo tan grave, también lo estaba. —finalizó el experto en cuestión.

— ¿Puede describir la entrevista efectuada a la abuela materna de la víctima, ciudadana Beatriz Galindo? —Continuó el interrogatorio por parte de la Fiscalía.

— La señora manifestó que ese día estaba en su casa, específicamente en su cuarto viendo televisión, que su hija estaba en la sala con una amiga, y que su yerno Alan estaba en el cuarto jugando con el niño, y que su hija le contó que en un momento no se escuchó nada y que cuando entró al cuarto vio al niño boca abajo siendo besado en el cuello por su padre haciendo movimientos sexuales como si lo estuviese penetrando, su hija le pegó un grito y él asustado manifestó que no estaba haciendo nada, que ellos solo estaban jugando. Manifestó que en ese momento ella fue tomar agua y vio a todos muy alterados y a su hija pidiéndole a Alan que se fuera. Al enterarse de lo sucedido llamó a la mamá del mismo y le contó lo sucedido, quien al cabo de unos minutos llegó a su casa en compañía de su esposo, ambos muy nerviosos. Refirió además que el mismo niño les contó todo, al punto que comenzaron a llorar en el sitio. —respondió el experto.

— ¿Refirió la señora Galindo cuál era la relación con Alan? —Preguntó la Fiscalía.

— Manifestó que muy poco cordial y que tuvo que tratar fue con su familia después de su accidente, ya que muchas veces ellos eran quienes cuidaban al niño mientras Kamila trabajaba y que ella no podía hacerlo por cuanto muchas veces tenía que cuidar a su papá quien es paciente oncológico. Manifestó a su vez que al niño no le gustaba a ir a casa de su abuela paterna y que cuando volvía de allá lo notaba muy hiperactivo, situación que también notó la señora del transporte. —respondió de forma calmada.

— ¿Refiere la señora en la entrevista cuál fue la actitud del niño el día y posterior a los hechos? —Prosiguió la Fiscalía.

— Sí, manifestó que quedó traumatizado, que no quería que le hablaran del tema, y que cuando le decían que iría a tribunales comenzaba a llorar, gritar y a decir que no quería ir. De hecho, manifestó que la psicóloga le dijo a su hija que el niño le dijo que en casa de sus abuelos lo habían violado varias veces. —respondió el trabajador social.

— ¿Refiere la señora en la entrevista cuál era la relación entre Alan y su hijo? —Consultó el fiscal.

— Sí, manifestó que jugaban en la terraza y que ella siempre lo vigilaba, pues en una ocasión lo regañó por sentarse al niño en las piernas donde lo abrazó y le dio un beso en la boca. —dijo el experto.

— ¿Qué impacto le causaron los hechos a la señora Galindo? —Consultó el fiscal.

No objeté esa pregunta, por cuanto ya me habían declarado sin lugar una parecida cuando se hizo en relación a la entrevista del señor Camacaro. La juez por su parte me miró con el ceño fruncido y cara de «ni se te ocurra hacerlo de nuevo».

— La señora refirió que un trauma horrible, que llora cuando hablan de eso y que no puede dormir. —replicó el experto.

— ¿Puede describir la entrevista efectuada al imputado Alan Manzano? —Continúa el fiscal con el interrogatorio.

— El señor Alan manifestó que la mamá de su hijo había dicho que según se cogió a su hijo y que eso era mentira. Manifestó que ese día estaba jugando con él en el cuarto, dándole besos y abrazos como solía hacer, y que de repente entró la señora Kamila molesta gritando y diciendo cosas que nunca habían pasado, por lo que se retiró del lugar. Manifestó, además, que no recordaba cómo había conocido a Kamila y que en virtud de este problema no le habían permitido ver más nunca al niño. Contó además que cuando el niño lo visitaba solían ver películas por televisión. Respecto a su niñez recordó con claridad a algunos de sus amigos de la infancia, del colegio y de sus hobbies. También narró las circunstancias de su accidente de tránsito. —dijo.

— ¿Puede describir la entrevista efectuada a la señora Isabel Hernández, abuela paterna de la víctima y madre del imputado? —Consultó el fiscal.

— Refirió que Alan fue ese día a visitar al niño, al rato la llamó Kamila diciéndole que Alan lo había violado. Él al llegar le dijo que eso era mentira. Fue para el sitio y le contaron lo que había sucedido. Describió a su hijo como un hombre liberal, trabajador, con una vida algo desordenada pues siempre se iba de viaje con sus amigos, pero que aun así fue responsable con sus estudios.

— ¿Puede describir la entrevista efectuada al señor Augusto Manzano, abuelo paterno de la víctima y padre del imputado? —Preguntó el fiscal, siguiendo su esquema de interrogatorio.

— Refirió que se enteró de los hechos por cuanto los familiares los llamaron para decirle que Alan había abusado sexualmente de su nieto, pero que él no sabía qué había sucedido realmente. Manifestó que siempre criaron a su hijo con mucho amor y como era el único varón siempre lo consintieron mucho, y que de adolescente comenzó a salir mucho, tener muchos amigos y novias. —respondió el licenciado Dominguez.

— Refirió el señor Augusto en su entrevista, ¿qué le dijo el niño el día en que ocurrieron los hechos? —Continuó el fiscal.

— Manifestó que no recordaba, que él estaba muy alterado esa noche. —contestó.

— ¿Cuáles fueron sus conclusiones o recomendaciones?

Domínguez refirió las mismas respuestas que dejó sentadas en el informe de la acusación realizada en el año 2010.

— No más preguntas. —manifestó a viva voz el fiscal, con una actitud llena de soberbia a sabiendas que había hecho un interrogatorio bastante completo a diferencia de la última vez.

Seguidamente, era mi turno al derecho de palabra. Me acerqué al estrado con una libreta de anotaciones, y luego de darle los buenos días a los presentes, procedí a preguntar:

— Respecto a la entrevista efectuada a la ciudadana Beatriz, abuela materna de la víctima, a preguntas de la Fiscalía, usted manifestó que la misma refirió que estaba horriblemente traumada por lo sucedido y que lloraba cuando hablaba del tema. En virtud de eso quiero preguntarle ¿Lloró la señora en cuestión, mientras usted le efectuaba dicha entrevista?

— ¡Objeción doctora! La pregunta de la defensa es irrelevante pues no le importan al proceso los sentimientos de la entrevistada. —exclamó el fiscal.

— Yo pensaba lo mismo hasta hace rato, y aun así usted, —haciendo contacto visual con la juez—, había permitido dichas preguntas cuando él fue el interrogante. Además, partiendo de la respuesta podríamos saber si estamos en presencia de un testigo que mentía o decía la verdad. —finalicé de manera suspicaz y sarcástica.

— Sin lugar a la objeción fiscal. Conteste la pregunta señor Wilfredo. —declaró la juez viendo al fiscal con cara de «es lo justo».

— No, la señora no lloró. —contestó en voz baja, el declarante.

Debo reconocer que no suelo ni sugiero hacer preguntas cuya respuesta desconozco, para justamente evitar entrar en aprietos, pero me dejé llevar por mi instinto y la jugada me había salido bien.

— Continuando con la entrevista de la misma ciudadana, ¿le manifestó cuál era su relación con la familia del imputado? —Continué el interrogatorio.

— Sí, no era muy buena, pues consideraba que los mismos eran racistas ya que antes de conocer al niño le llegaron a preguntar si era blanco o negro.

Alan se sonrojó muchísimo con esta respuesta. Frunció su ceño y apretó sus manos sobre el borde de la mesa. Parecía molesto.

— Respecto a la entrevista de la señora Isabel Hernández, abuela paterna del niño y madre del imputado, ¿Le llegó a manifestar cuál era la relación entre Alan y Kamila? —Pregunté.

— Sí, nada buena tampoco, manifestó que ella siempre le reclamaba y le pedía cosas y eso a él lo alteraba mucho. Al tiempo le pidió que cuidara al niño después de la escuela pues ella tenía que trabajar.

— ¿Describió cuál era la relación de ella con la familia de Kamila?

— Sí, manifestó que no tenía relación con ellos pues nunca quiso tener nada que ver con esa familia.

— ¿Manifestó ella si el día de los hechos llegó a hablar con el niño?

— Manifestó que ese día no habló con él, que solamente habló con la mamá y su otra abuela.

— Respecto a la entrevista del señor Augusto, padre del imputado y abuelo paterno de la víctima, ¿Le manifestó cómo era la relación entre Alan y Kamila?

— Sí, manifestó que no se comprendían o ponían de acuerdo en nada, que peleaban muchísimo porque ella decía que Alan no era responsable con el niño. Manifestó que eso no era así pues incluso ellos mismos llegaron a cuidar al niño y a costear muchos de sus gastos.

— ¿Licenciado Domínguez, durante todas esas entrevistas que usted efectuó, alguna vez alguien le refirió que vio cómo Alan penetraba al niño, o al menos sin ropa?

— No.

— No más preguntas doctora. —manifesté exhalando fuerte mientras me dirigía a mi asiento algo cansado, después de tan ardua jornada.

El tribunal no efectuó nuevas preguntas y se dio por concluida la audiencia.

Todos comenzaron a levantarse para salir de la sala de audiencia. Alan se mantuvo tenso y con el rostro enrojecido, se tomó un par de minutos más antes de pararse de su asiento y seguir mi camino fuera de la sala. Mientras caminaba, recreé en mi mente cómo finalicé mi interrogatorio con esa pregunta cerrada, valiéndome de mis conocimientos en materia de oratoria para aplicar el «principio de recencia», que hace referencia a que lo último que suele escuchar el oyente durante un discurso, es lo que tiende a recordar con más énfasis, así siempre sugiero culminar, de manera impactante para que eso quede en la mente de esa audiencia. Así que pregunté lo más cumbre o relevante del caso, para que la juez tuviese muy en cuenta que seguían sin aparecer testigos que dieran fe del supuesto abuso sexual con penetración de Alan a Ricardo.

Llamó mi atención lo que supuestamente le dijo el niño a la psicóloga, según la señora Beatriz. Ya que de haber sido cierto, no tendría soporte alguno, pues estamos en un juicio seguido a Alan por el supuesto abuso sexual cometido a su hijo Ricardo el día 02 de mayo del año 2010 en casa de su mamá, no por el abuso sexual cometido quién sabe cuándo en casa de sus abuelos paternos.

CAPÍTULO 14
SEXTA CONTINUACIÓN DE JUICIO

Luego de tres semanas, volvimos a la acción. Era jueves 05 de septiembre, y le tocaba el turno de rendir testimonio a la licenciada Susana Ramírez, psicóloga forense adscrita al departamento de psiquiatría de la Policía Científica. Ella se había encargado de practicar la experticia psicológica a Ricardo en su condición de víctima. Este testimonio era muy importante para el juicio, pues de lo que la psicólogo manifestara, podríamos saber si Ricardo presentaba en su psiquis, alguna afectación que infiriera que había sido víctima de abuso sexual.

La licenciada luego de prestar el juramento de ley y de ser plenamente identificada por el tribunal manifestó:

— Se trata de una evaluación que le hice a un niño de nombre Ricardo, quien emocionalmente es extrovertido, conversador, amigable, y es capaz de discernir entre el bien y el mal. Al momento de realizar la experticia no se evidenciaron elementos que indiquen enfermedad mental. —expresó ella con total tranquilidad.

Al escuchar ese testimonio, inmediatamente pensé que tenía elementos para defender mejor a Alan. Se le cedió al fiscal el derecho de palabra, quien se levantó pausadamente.

— ¿Cuál es la función de un psicólogo? —Preguntó el fiscal con una ceja levantada.

— Explorar el funcionamiento mental y el comportamiento social del individuo. La psicología se concentra en el estudio y entendimiento de la mente y conducta humana. —contestó tranquilamente la psicóloga, como si estuviera acostumbrada a este tipo de interrogatorios.

— ¿Qué instrumento de evaluación utilizó? —Consultó la Fiscalía.

— Entrevista clínica.

— ¿Qué técnicas utilizó?

— Análisis del discurso basado en el contenido.

— ¿En qué consiste dicha técnica?

— Es un método de investigación flexible que sirve para realizar una interpretación sistemática de los discursos.

— ¿Cómo interpretó usted el discurso del niño Ricardo?

— Consistente pero... no coherente.

— ¿Alguna otra técnica utilizada?

— Protocolo Nichd, que vendría siendo un protocolo estructurado y flexible de entrevistas cuyo objetivo es mejorar la obtención de información relevante desde un punto de vista forense a partir de la entrevista de testigos vulnerables, procurando potenciar las capacidades de evocación de las capacidades narrativas del entrevistado, no induciendo ni interfiriendo el relato con preguntas sugestivas.

— ¿Cuál fue su diagnóstico?

— Que el niño no presenta evidencias de enfermedad mental o trastorno alguno.

— ¿Presenta el niño alguna alteración emocional?

— Al momento de la evaluación, no.

— ¿Pudo observar usted algún signo que evidencie de que el niño fue víctima de abuso sexual?

— No, sin embargo, en algunos casos hay pacientes que sí fueron víctimas de abuso sexual, y aun así no presentaron ningún tipo de cambio en su conducta a nivel emocional.

— No más preguntas. —manifestó el fiscal bastante contrariado.

El fiscal retomó su asiento y fue mi turno de acercarme al estrado. Ahora, con el derecho de palabra, fui al grano:

— Buenos días. A preguntas efectuadas por la Fiscalía Capital, usted manifestó que el niño presentaba un discurso consistente pero no coherente, ¿qué quiso decir con eso? —Dije viendo a la psicóloga a los ojos sin siquiera parpadear.

— Que el niño mantiene lo que dice, pero que su historia o relato no es del todo lógica.

— ¿Cuándo o por qué pudo pasar eso? —Pregunté de nuevo.

— No estoy diciendo que así ocurrió en este caso, pero en muchas ocasiones cuando eso ocurre, es porque el evaluado estuvo manipulado para que mintiese y por ello aprendió exactamente lo que tenía que decir y así lo dijo.

La cara de todos los presentes fue de total desconcierto. Era como si todos aguantaran la respiración por pocos segundos, para asimilar la información.

— Por otra parte, no me quedo claro el punto sobre los signos que evidencian el abuso sexual, ¿pudo usted evidenciar eso en este caso?

— No, pero como le dije al fiscal, hay casos donde las víctimas suelen no presentar cambio alguno en su conducta, aun cuando sí fueron abusados sexualmente.

— No más preguntas. —exclamé después de un suspiro.

Otra audiencia concluida. Ambos interrogatorios, a pesar de haber sido algo cortos, fueron a su vez bastante concisos y precisos. Sin embargo, tuve la sensación de que todos los involucrados, incluyendo la juez, habíamos salido llenos de incertidumbre.

¿Entonces? ¿A quién le había favorecido ese testimonio?

La mirada de Alan era ausente. Supongo que pudiese estar tan desconcertado como todos en esa sala. Salimos de la sala de audiencia rumbo a mi vehículo. Siempre lo estaciono en la acera de enfrente de los tribunales. Como en cada audiencia, traigo y llevo a Alan a su casa. Pasamos todo el recorrido en silencio. Luego que dejo a Alan, decido ir a mi restaurante favorito, ubicado a las afueras de la ciudad, tiene un clima frío de montaña, y mesas al aire libre, lo que lo hace ideal para despejarte y respirar aire fresco.

Tomo una mesa ubicada en el rincón contrario a la entrada. Quería estar lejos del bullicio para pensar. Por la hora, había pocos comensales, así que me atendieron muy rápido. Pedí una punta trasera término medio, acompañada de Bruschetta, ensalada y una cerveza fría. Mientras esperaba, repasé la audiencia de hoy. ¿Cómo iba a valorar la juez al final del juicio, el testimonio de la psicóloga? De conformidad con nuestra Legislación Procesal Penal, los jueces deberán apreciar o valorar las pruebas conforme a la sana crítica, observando las reglas de la lógica, los conocimientos científicos y las máximas de experiencia. Entendiendo a la lógica como aquellas leyes fundamentales de coherencia y no contradicción; las máximas de experiencia como las reglas extraídas de la experiencia cotidiana y hasta de vida del juzgador; y los conocimientos científicos como aquellas pruebas demostradas a través de la ciencia, cuyos asuntos en teoría el juez desconoce, y por lo que se debe dejar guiar por los expertos en cada área científica. Una vez finalizado el juicio, el juez deliberará sobre todo lo que escuchó en cada una de las audiencias y, conforme a estas reglas, deberá emanar y fundamentar su decisión.

Me preocupa un poco el criterio que tuviese la juez al momento de evaluar el testimonio de la licenciada Susana, que si bien, es cierto, había manifestado que Ricardo no presentaba afectación psicológica alguna como secuela de un posible abuso sexual, también había dejado la puerta abierta para hacer entrever que no había absoluta certeza en dicho diagnóstico, por cuanto fácilmente pudo haber sido abusado y no había mostrado hasta ahora señales en su psiquis o conducta.

Mi comida había llegado, era mejor despejarme y disfrutar mi almuerzo.

CAPÍTULO 15
SÉPTIMA CONTINUACIÓN DE JUICIO

Los días, semanas y meses seguían transcurriendo y así llegamos a la séptima audiencia que se efectuó el miércoles 18 de septiembre a las 3 de la tarde, donde declararía la señora Beatriz Galindo, abuela materna de Ricardo, madre de Kamila y testigo referencial del hecho.

Aquel miércoles por la tarde, luego de tomar el juramento de ley e identificar plenamente a la testigo, la misma manifestó:

— Mi nieto siempre vivió con nosotros, Alan nunca se hizo cargo, sin embargo, mi hija poco a poco fue aceptándolo al punto que él iba a la casa y compartía con el niño y a veces jugaban pelota. El día que ocurrieron los hechos mi hija estaba en la casa con una compañera de trabajo haciendo los preparativos para una fiesta, Alan había ido a jugar con el niño en su cuarto, y al rato, mi hija al no escuchar nada, entra y lo ve sobre el niño

y grita: «No puede ser, te vas de aquí». Yo llamé a mi esposo y luego lla-
mamos a los padres de Alan, ellos no nos querían porque decían que el
niño era negro. Al rato llegaron a la casa y el mismo Ricardo les dijo que
su papá se había montado sobre él y que sintió algo duro en la espalda.

Se le cedió el derecho de palabra al fiscal quien preguntó:

— ¿Quiénes estaban el día que ocurrieron los hechos?

— Mi hija, su amiga, el niño y yo.

— ¿Dónde estaba usted?

— En mi cuarto viendo televisión.

— ¿En qué parte de la casa ocurrieron los hechos?

— En el cuarto, sobre la cama.

— ¿Qué ocurrió ese día?

— Yo no vi nada pues estaba como le dije en el cuarto, pero mi hija me
dijo que vio a Alan sobre el niño.

— ¿El niño qué le dijo?

— Nada, estaba llorando.

— ¿Cuál era la actitud de Alan durante estos eventos?

— Se puso bravo y decía que eso era mentira. Luego se fue.

— ¿El niño presentaba dolor anal?

— No me di cuenta. Recuerdo que sufría mucho cuando iba al baño.

— ¿Llevaron al niño a un forense?

— Sí.

— ¿Qué les dijeron?

— No recuerdo, el médico habló fue con mi hija y ella salió llorando.

— ¿Pero tenía lesión anal?

— No sé.

— Después de estos hechos, ¿Cuál era la actitud del niño para con
su papá?

— No quería verlo.

— ¿Dónde están su hija y su nieto ahora?

— En República Dominicana. Ellos se fueron del país hace
algunos años.

— No más preguntas.

Se me cedió el derecho de palabra y pregunté:

— Buen día, ¿en qué lugar ocurrieron los hechos?
— En mi casa.
— ¿Dónde está ubicada su casa?
— En la avenida Los Laureles, sector Olivo, edificio Las Carmelitas, apartamento 7C, La Capital.
— No más preguntas.

La juez Preguntó:

— ¿Logró usted ver al señor Alan al menos sin ropa el día que ocurrieron los hechos?
— No.
— ¿El niño y Alan estaban vestidos cuando usted bajó y los vio?
— Sí.
— ¿El niño tenía un problema a nivel rectal antes de estos eventos?
— Sí, le costaba ir al baño y por eso le mandaban laxantes.
— No más preguntas.

Finalizada esta audiencia, Alan se mostró más tenso de lo normal. Al levantarme de mi asiento ya para retirarnos lo escuché trillando sus dientes. Me dijo: «¿Cómo es posible que haya dicho que somos racistas, doctor?», me preguntó asombrado y luego continuó con voz firme: «Al llegar, se lo diré a mi mamá».

El testimonio de la señora Beatriz no trajo mayor sorpresa. Dijo lo que esperaba que iba a decir. Como tal, solo me limité a establecer cuál fue el sitio del suceso. Preferí no hacer muchas preguntas por cuanto la misma ya le había dicho al fiscal que no vio nada. ¿Para qué insistir con ese punto entonces?

Las preguntas de la juez fueron bastante propicias. Yo preferí no hacerlas por cuanto desconocía si la respuesta de la declarante podría favorecerme o no. Seguía sin aparecer un testimonio contundente, y todo seguía girando en torno al testimonio de Kamila, ya que todos se apoyaban en lo que ella supuestamente había visto. Al encontrarse la misma fuera del país, el tribunal podría prescindir de su testimonio. Aun así, la juez le pidió al fiscal tratar de ubicarla lo antes posible.

CAPÍTULO 16
OCTAVA CONTINUACIÓN DE JUICIO

La octava audiencia se efectuó el jueves 03 de octubre a las 11 de la mañana. Esta vez le correspondía declarar al señor Juvenal Camacaro, abuelo materno de Ricardo, padre de Kamila y testigo referencial de los hechos, quien luego de tomar el juramento de ley e identificarse plenamente, dio su testimonio:

— No recuerdo mucho los hechos. Eso pasó ya hace muchos años. Me parece increíble que alguien haya sido capaz de hacerle algo tan terrible a su propio hijo, yo nunca le noté a Alan esas desviaciones, no sé si lo hizo sin darse cuenta por su enfermedad. —manifestó Juvenal fluidamente y con actitud autoritaria.

Se le cedió la palabra al fiscal de la Fiscalía Capital quien preguntó:

— ¿Qué fue eso tan terrible que le hizo Alan a su nieto Ricardo?
— Lo violó.

— ¿Dónde ocurrió?

— En su casa, ubicada en la avenida El Gran Sauce, sector Los Llorones, apartamento 3-56, La Capital.

Mis ojos se abrieron de par en par. ¿Qué estaba pasando aquí? No interrumpí el interrogatorio y esperaba prestar mucha más atención a lo que Juvenal estaba diciendo.

— ¿Quién le informó de los hechos? —Prosiguió el fiscal.

— Mi esposa y mi hija.

— ¿Qué le dijeron?

— Que Alan había violado al niño.

— ¿Habló usted con su nieto sobre los hechos?

— No.

— ¿Cuál era el comportamiento del niño después de los hechos?

— Normal. No le tocábamos el tema.

— ¿Desde hace cuánto tiempo conocía a Alan?

— Muchos años, y nunca noté esas desviaciones.

— ¿Dónde estaba su hija el día en que ocurrieron los hechos?

— En mi casa, ella vivía en mi casa.

— ¿Dónde están su hija y su nieto ahora?

— En República Dominicana.

— No más preguntas.

Se me cedió el derecho de palabra y pregunté:

— A preguntas realizadas por el fiscal usted contestó y manifestó que a su nieto lo violó el señor Alan. ¿De qué tipo de violación estamos hablando? ¿Anal u oral? —Pregunté con cara de pocos amigos.

— No sé. —respondió.

— ¿Pudo usted ver el momento en que ocurrió la violación en cuestión? —Insistí.

— No. —contestó.

— ¿Cómo puede usted manifestar y afirmar entonces que a su nieto lo violó el señor Alan? —Pregunté.

— Porque fui policía muchos años, y con mi experiencia uno puede saber cuándo está frente a un delincuente. —sentenció.

Mi cara de incredulidad ante esta respuesta fue evidente, continué.

— ¿Dónde estaba usted el día y a la hora en que ocurrieron los hechos?

— En mi trabajo.

— No más preguntas.

La juez no formuló más preguntas, y se dio por terminada esa audiencia.

Esta vez, me quedé en mi asiento unos minutos más, procesando el interrogatorio de hoy. Alan seguía a mi lado sin emitir sonido. Mi asombro era sencillo, Juvenal, por alguna razón, señaló que los hechos en cuestión ocurrieron en la vivienda de Alan y no en la de él, donde también vive su hija, así como lo manifestó su esposa en la audiencia anterior. Esto solo denotaba discrepancia en los testimonios. ¿Por qué ese cambio en las declaraciones? ¿Dónde habían ocurrido realmente los hechos? ¿Sería que el paso del tiempo había hecho que el señor se confundiera o había algo más?

Despertaba en mi cabeza, de nuevo, la idea de una posible teoría conspirativa en contra de Alan. Después de todo, su mismo suegro había sido funcionario policial, ¿no? A mí manera de verlo, ese desastre era culpa del fiscal, quien seguramente por falta de tiempo, no pudo preparar a su testigo y, en consecuencia, dio tan terrible testimonio de cara a sus pretensiones. El daño estaba hecho. Hoy nos tocó celebrar a la defensa.

CAPÍTULO 17
NOVENA CONTINUACIÓN DE JUICIO

El viernes 25 de octubre, pasó algo diferente antes de iniciar la audiencia donde le tocaba comparecer a la amiga de Kamila, la joven Cristina Fuentes. La juez llamó a las partes al estrado mientras ajustaba sus lentes sobre sus ojos.

— Doctor Acosta, le pido por favor termine de hacer lo conducente para que comparezcan el resto de los expertos. Pasan y pasan las audiencias y no terminan todos de venir. —le manifestó con propiedad la juez Tarazona al fiscal.

— No ha sido fácil, doctora. Muchos expertos renunciaron a sus cargos y se me ha hecho imposible ubicarlos. Recuerde que el caso es muy viejo. —replicó el fiscal.

— Yo sé que es muy viejo, doctor, por ello quiero terminar con esto. Si no logra hacer que comparezcan, prescindiré de sus testimonios. —replicó de nuevo la juez con cara de pocos amigos.

Yo observaba y escuchaba en absoluto silencio.

— Trataré al menos de hacer comparecer a un intérprete, doctora.

—manifestó el fiscal titubeando.

— Ya nos estamos entendiendo, doctor —exclamó la juez.

— Al menos cumplo con informarle que logré contactar a la señora Kamila, efectivamente está en República Dominicana y está dispuesta a declarar de manera virtual.

— Excelente. Convóquela de una vez, para la próxima audiencia. Pueden regresar a sus asientos. —dijo la juez mientras movía sus manos en señal de retiro.

— Momento, doctora, quiero informarle que me manifestaron en el Servicio de Psiquiatría Forense, que la semana próxima podré retirar el resultado del nuevo examen forense efectuado al acusado. Se tardó tanto por cuanto el psiquiatra forense se fue de vacaciones por tres períodos que tenía vencidos y no lo dejó firmado. Espero poder consignarlo en la próxima audiencia. —manifesté.

— Esa sí que es una buena noticia. La próxima audiencia promete entonces. Ahora sí, pueden retirarse. Comencemos de una vez por todas la audiencia de hoy. —terminó la juez volviendo a ajustar sus lentes sobre sus ojos y alinear las carpetas que tenía sobre el estrado.

De camino a mi asiento junto a Alan, lamenté que la juez considerara la posibilidad de hacer comparecer a un intérprete. Si los expertos promovidos por las Fiscalía no comparecían, podrían ser convocados profesionales del área, a fin de que interpreten la expericia realizada en su momento y declaren sobre el dictamen de la misma. Además advirtió la posibilidad de efectuar una audiencia de manera virtual en el caso de Kamila. Todo esto le daba más tiempo a la Fiscalía. Yo preferiría prescindir de esos testimonios.

Ya todos en nuestros espacios, la juez le tomó el juramento de ley a la testigo, la identificó plenamente y le pidió brindar su declaración. Cristina Fuentes, una mujer bastante atractiva, de piel blanca, cabello negro y ojos verdes, había ido bastante arreglada con un pantalón negro, camisa blanca, y blazer gris, acompañada de unos tacones altos también negros y labios rojos. Se notaba incluso que había arreglado sus uñas y cabello para la ocasión. El alguacil del tribunal estaba embelesado con su figura, olor de su dulce perfume, suave y pausado tono de voz, con el que manifestó:

— Ese día yo estaba en casa de Kamila efectuando los preparativos para mi boda, que se llevaría a cabo en los próximos meses, de repente ella se levantó y fue al cuarto en el que estaba su hijo jugando con su papá, pegó un grito y comenzó a manifestar que él lo estaba violando. Luego le pidió que se marchara de la casa.

Se le cedió la palabra al fiscal quien después de observarle, desde mi óptica no sé si los ojos o los senos primero, le preguntó:

— ¿Desde hace cuánto tiempo conoce a la señora Kamila? —dijo con una firmeza exagerada.
— Desde hace 8 años, somos buenas amigas. —respondió Cristina con voz fastidiada.
— ¿Dónde ocurrieron los hechos? —Preguntó el fiscal luego de aclarar su garganta.
— En su casa.
— ¿Dónde queda?
— La avenida Los Laureles, sector Olivo, edificio Las Carmelitas, apartamento 7C, La Capital. —respondió Cristina mientras presionaba con su dedo índice su mentón y miraba hacia el techo de la sala, como si buscara en sus recuerdos.
— ¿Quiénes estaban ese día en la casa? —Insistió el fiscal.
— Kamila, su mamá, el niño, Alan y yo.
— ¿Específicamente dónde estaba usted y la señora Kamila?
— En la sala.
— ¿Dónde se encontraba la mamá de la señora Kamila?
— En su cuarto.
— ¿Dónde se encontraban Alan y el niño?
— En el cuarto del niño jugando.
— ¿Qué pasó luego?
— Kamila se asomó en el cuarto y vio a Alan violando al niño.
— No más preguntas.

Ella mantuvo el mismo tono suave sin ánimos en el interrogatorio del fiscal, a diferencia de mi colega que se escuchaba con dudosa autoridad. Se me cedió el derecho de palabra:
— Buen día, señora Cristina. ¿Qué hizo usted cuando la señora Kamila gritó? —pregunté mirándola fijamente.

—Nada, me quedé paralizada defensor. —exclamó mientras me miraba de manera fija y penetrante, con un tono de voz ligeramente diferente al que utilizó al responderle al fiscal.

— ¿Trató de ayudar a la supuesta víctima de violación? —Pregunté con firmeza.

— No. —exclamó mientras se acomodaba el cabello por detrás de las orejas.

Si no estuviésemos en juicio pensaría que trata de seducirme. Me volví a enfocar y continué con otra pregunta.

— ¿Pudo ver usted al señor Alan violando o abusando del niño, señora Cristina?

— No.

— ¿Lo vio al menos sin ropa?

— No.

— No más preguntas.

Casi todas las respuestas de la testigo las dijo con el mismo tono suave de voz y sin dejar de mirarme a los ojos. Luego se retiró de la sala, con un paso lento y moviendo sus caderas, como si caminara por una pasarela de modas.

El tribunal no efectuó preguntas. Otra audiencia concluida.

Al igual que los tantos otros testigos, el testimonio de Cristina era el de un testigo referencial de los hechos, cuya declaración se basa únicamente en lo que supuestamente vio Kamila. Ella, al igual que la señora Beatriz, a pesar de haber estado en el sitio del suceso, nunca vieron a Alan sobre el niño y ni siquiera sin ropa. Al menos ella sí fue coherente respecto al lugar en que ocurrieron los hechos, que fue la casa de Kamila.

Después de escuchar esta declaración solo había una certeza, y era que la única testigo presencial de aquellos hechos, en que supuestamente Alan había abusado de su hijo Ricardo, era Kamila. Solo quedaba escucharla e interrogarla minuciosamente vía virtual. Sinceramente, a este punto, yo solo esperaba una declaración llena de mentiras e incongruencias.

Para saberlo habría que esperar un par de semanas más.

CAPÍTULO 18
DÉCIMA CONTINUACIÓN DE JUICIO

La mañana que llegamos al tribunal para afrontar la décima audiencia, lunes 11 de noviembre, no era un día como cualquier otro. Ese día llevaba en mis manos un sobre cerrado con el resultado de la experticia psiquiátrica efectuada a Alan. Muchas de mis esperanzas seguían ahí, pues ya, después de tanto compartir e interactuar con él, estaba seguro que era una persona demente y por ende inimputable. La manera idónea de demostrarlo era esta, a través del informe psiquiátrico.

Una vez en la sala de audiencia el fiscal y yo nos acercamos al estrado de la juez.

— Doctora, buen día, lamentablemente debo informarle que la señora Kamila no contesta mis mensajes. De hecho, creo que tiene el teléfono apagado, pues ni siquiera le llegan. —manifestó el fiscal evidentemente apenado y contrariado.

— Qué conveniente. —me expresé de manera irónica.

De manera inmediata, todas las teorías conspirativas volvían a revivir, y cada fibra de mi cuerpo me decía que Kamila nunca vendría a dar la cara en este juicio.

— Esto es muy irregular, doctor Acosta. —expresó la juez de manera suspicaz.

— Sí doctora, lo lamento. Tal vez se le prestó algún contratiempo. —expresó de nuevo el fiscal.

— Tal vez. Cítela para la próxima audiencia. Deme al menos buenas noticias respecto al resto de los expertos. —increpó la juzgadora.

— Lamento informar que no me fue posible ubicar a ninguno. —contestó el fiscal bajando la mirada.

— Le daré una oportunidad más, doctor. Quedan todos los que faltan citados para la próxima audiencia. De lo contrario, prescindiré de dichos testimonios, así que vayan preparándose para las conclusiones.

— ¿Y usted, doctor Custodio? ¿Logró recabar el nuevo informe psiquiátrico? —Me preguntó la juez elevando un poco el tono de voz.

— Sí doctora, aquí lo tengo, en sobre cerrado, y cumplo con consignar en este acto. —exclamé con satisfacción.

— ¡Al fin buenas noticias! Evaluaremos esa prueba después de incorporar las pruebas documentales faltantes. —exclamó la juez mientras nos despachaba de vuelta a nuestros asientos.

Tanto el fiscal como yo retornamos a nuestros lugares para que diera inicio, formalmente, esta audiencia. El ambiente era un poco tenso.

— En el día de hoy, procederemos a incorporar las pruebas documentales para su lectura restantes, específicamente, el reconocimiento legal No. 225, realizado a la víctima por parte del doctor Cristian Ariza, inserto en el folio 278, y la referente al acta de nacimiento de la víctima inserta en el folio 369. —manifestó a viva voz la juez Tarazona—. De igual forma, cumplo con informarle a las partes que este tribunal ya cuenta con las resultas del examen psiquiátrico efectuado al imputado, que fue solicitado como nueva prueba por la defensa, al momento de iniciar el presente juicio, el cual procedo a leer de manera textual en este acto:

Alan dejó de mirar a los lados y enfocó su mirada en la juez Tarazona. Ella ajustó sus lentes sobre sus ojos y extrajo el informe del sobre. La juez tomó aire antes de comenzar a leer con voz firme.

— «Posterior a la evaluación psiquiátrica forense, se tiene que el consultante presenta evidencia de TRASTORNO DE PERSONALIDAD Y DEL COMPORTAMIENTO DEBIDO A ENFERMEDAD, LESIÓN O DISFUNCIÓN CEREBRAL, como consecuencia directa de trauma de cráneo con conmoción cerebral severa con pérdida de conciencia por períodos prolongados, lo cual trajo como consecuencia disartria (dificultad para pronunciar), episodios psicóticos de origen orgánico, cambios conductuales en su estado de ánimo, en ocasiones depresiones, ansiedades y hasta estados de hipomanía; impulsividad, hostilidad, hasta el punto de tornarse agresivo sin control. Durante la evaluación, se observa ecolálico, temático, taquilálico, taquipsíquico. Al examen mental, se observó desarreglado, desaliñado en su apariencia, edad aparente mayor a edad cronológica, desinhibido, hipervigil, lenguaje de tono y volumen bajo y pausado, aplanado en su afecto, deterioro acentuado en su memoria, enlentecido en sus movimientos».

La expresión de todos los presentes fue de absoluto desconcierto. Alan estaba inmóvil, pálido y evidentemente sudado. Sentí mucha pena por Alan cuando leyeron la opinión del forense hacia su apariencia de ese día. Y la verdad, es que no mentía en dichas observaciones, Alan estaba muy acabado desde todo punto de vista gracias a este caso, y por su propia situación derivada de aquel accidente.

— Ciudadano alguacil, sírvase por favor de mostrarles el presente informe a las partes.

El alguacil se dirigió lentamente al puesto del fiscal con el informe.

— ¡Yo no entiendo nada! —exclamó el fiscal después de leer el informe, entregándoselo de vuelta al alguacil. Ahora, este se dirigió a mi puesto mientras tosía.

— Por primera vez en este juicio, estoy de acuerdo con la Fiscalía. ¡Tampoco me queda claro el resultado del examen! —Me manifesté resignado, después de leer el peritaje.

— Yo estoy igual. — dijo la juez—. Pienso que al examen le falta una parte, tal vez, la más importante... la referente a la capacidad o no de discernir del acusado —la doctora Tarazona tomó una pausa—, Lo más salomónico es que hablemos con el doctor Gervasio... Acérquense al estrado, por favor. —apresuró la juez.

Ella tomó su celular y comenzó a marcar el número de teléfono que aparecía en el informe. Luego del quinto repique, el doctor Gervasio contestó.

— Buenas, a la orden. —manifestó el doctor con voz entrecortada y acento andino.

— Buenas doctor, le habla la doctora Maritza Tarazona, juez penal del tribunal trigésimo tercero de juicio de La Capital, le llamo en relación a una evaluación que usted le efectuó al ciudadano Alan Manzano.

— Hola, doctora. Sí, claro que recuerdo dicha evaluación. ¿Qué pasó con ella? ¿Me escucha? Yo la escucho lejos.

Una gota de sudor frío corría por mi frente sin piedad. Saqué mi pañuelo blanco del bolsillo de mi traje para secarme.

— Le escucho muy mal, doctor, pero... Requerimos saber si la capacidad para discernir del evaluado se encuentra comprometida.

— ¿Qué? No logro escucharla, doctora. Es que estoy en una zona donde hay muy mala cobertura. —contestó el doctor con la voz más entrecortada aún.

Volteé a ver a Alan y noté que estaba frotándose las manos con vehemencia.

— Requerimos saber si la capacidad para discernir del evaluado se encuentra comprometida —preguntó de nuevo la juez.

— No le escucho bien, doctora, repita. —contestó el doctor.

Se cortó la llamada. La juez insistió en llamar. En el tercer intento, se hizo imposible retomar el contacto.

— Creo que lo mejor será pedirle por escrito, con carácter de urgencia, una ampliación de dicho informe. —la juez señala al funcionario que está a su lado y le ordena— Secretario, hágalo de inmediato.

El fiscal y yo asentimos con la cabeza. Se dio por concluida la audiencia. Salí del recinto apurado junto a Alan, lo llevé a su casa y me fui a mi oficina. No soy fumador habitual, aun así, suelo llevar conmigo una cigarrera negra en el bolsillo derecho de mi chaleco. Saqué un cigarro que encendí con un encendedor plateado que llevo en el bolsillo izquierdo del mismo chaleco, para tratar de drenar un poco todo el estrés que me produjo esta audiencia, y la presión acumulada por el caso. Presión que siempre había recaído sobre mí, pues este no era un caso más, se trataba de la libertad de un familiar de uno de mis mejores amigos y colegas.

A la familia de Alan yo la había liberado de toda carga y presión desde el primer día, al punto que, incluso, los eximí de tener que llevarlo y buscarlo durante cada comparecencia al tribunal. Además, después de cada audiencia los llamaba e informaba de los pormenores ocurridos, justamente, para mantenerlos tranquilos. Usualmente dichas conversaciones solían ser con Oliver y Lucía. Es muy importante hacerlo, mantener informados de los pormenores del proceso a los familiares de nuestros representados, pues, no saber lo que está pasando los llena de estrés, ansiedad y angustia.

Al terminar con aquel cigarro, serví una taza de café, busqué algunos libros de psicología y psiquiatría, para buscar comprender mejor el informe que había llegado al tribunal, el cual pude notar que, sin duda, en cuanto a la patología o diagnóstico, se había apoyado muchísimo en aquel informe que consigné en su momento suscrito por el doctor Francisco Rojas. Sin embargo, encontré algunas palabras o términos médicos nuevos que debía estudiar:

En principio, comencé a leer qué es un *trastorno de personalidad y del comportamiento* según «El libro de la Salud Familiar» de Mayo Clinic, en su 5ta edición:

> «Es un tipo de trastorno mental en el cual tienes un patrón de pensamiento, desempeño y comportamiento marcado poco saludable. Una persona con un trastorno de personalidad tiene problemas para percibir y relacionarse con las situaciones y las personas. Esto causa problemas y limitaciones importantes en las relaciones, las actividades, el trabajo y la escuela...»

Por su parte, también revisé el libro de «Psicología de la personalidad. Dominios de conocimiento sobre la naturaleza humana» de los autores Randy Larsen y David Buss, en su segunda edición refiere:

> «Es un patrón perdurable de experiencia y comportamiento que difiere en gran medida de las expectativas de la cultura del individuo (DSM-IV). Los rasgos son patrones de experimentación, reflexión e interacción con uno mismo y el mundo. Estos se observan en un rango amplio de situaciones sociales y personales. Por ejemplo, una persona que es destacada en escrupulosidad, es trabajadora y perseverante. Si un rango se vuelve desadaptativo e inflexible y causa un deterioro y angustia significativos, entonces se considera un trastorno de personalidad. Por ejemplo, si alguien fuera tan escrupuloso que revisara la cerradura de la puerta 10 veces cada

noche y revisará cada aparato electrodoméstico en casa cinco veces antes de salir en la mañana, entonces podríamos considerar la posibilidad de un trastorno.

Las características esenciales de un trastorno de personalidad, de acuerdo con la American Psychiatric Association (1994). Un trastorno de personalidad por lo general se manifiesta en más de una de las siguientes áreas: En cómo piensa la gente, en cómo se siente, en cómo se lleva con otros o en su capacidad para controlar su propio comportamiento. El patrón es rígido y se exhibe a lo largo de una variedad de situaciones, llevando a la angustia o a problemas en áreas importantes en la vida, como en el trabajo o las relaciones. Por ejemplo, un hombre demasiado escrupuloso podría volver loca a su esposa con la revisión constante de sus aparatos electrodomésticos. El patrón de comportamiento que define al trastorno de personalidad de manera típica tiene una historia larga en la vida de la persona y con frecuencia puede ser rastreado hasta manifestaciones en la adolescencia o incluso en la niñez...»

Dejé a un lado los libros e ingresé a mi laptop. Comencé a revisar en internet los términos médicos que no entendía. Procuré buscar en varias páginas médicas y comparar conceptos, hasta que dí con lo que entendí de cada uno.

- La Ecolalia es un trastorno del habla que consiste en la repetición involuntaria e inconsciente de palabras, frases, conversaciones, diálogos o canciones, que el paciente ecolálico ha escuchado alguna vez de otras personas cercanas, la radio o televisión.

- La taquilalia es un patrón del lenguaje verbal caracterizado por la emisión de palabras a un ritmo acelerado.

Dicha rapidez se caracteriza por la omisión de sonidos y sílabas, lo que a su vez genera una dificultad importante para comprender lo que la persona intenta expresar. Otra de sus características son las escasas pausas en el discurso y una inquietud motriz que puede ser leve o muy notoria.

- La taquipsiquia se refiere a la percepción alterada del tiempo en la que este parece ir más o menos rápido. Este término está ligado al concepto de tiempo psicológico, que es la estimación subjetiva del tiempo. También se utiliza para describir un trastorno formal o del curso del pensamiento. En este sentido, la taquipsiquia estaría referida a una aceleración anormal del pensamiento.

- La hipervigilia es un fenómeno que consiste en el aumento del nivel de alerta, atención y conciencia. Suele estar asociado a la psicopatología, en particular al espectro de la psicosis y a los episodios de manía propios del trastorno bipolar.

La suerte estaba echada, todo parecía indicar que de una u otra forma, este juicio muy pronto culminaría.

CAPÍTULO 19
CONCLUSIONES

— *Le daré una oportunidad más, doctor. Quedan todos los que faltan citados para la próxima audiencia. De lo contrario, prescindiré de dichos testimonios, así que vayan preparándose para las conclusiones.*

La palabra «conclusiones» quedó resonando en mi cabeza desde el día anterior que fue la audiencia, ya que la juez advirtió a las partes que nos fuéramos preparando para las mismas. Ahora bien, ¿estábamos realmente cerca de culminar el juicio? ¿Se atrevería a prescindir la juez de esos testimonios en un caso como este? Me preguntaba incesantemente. No sería la primera vez que lo veo y además es algo para lo cual ella está facultada.

En la tranquilidad de la noche y soledad de mi oficina, me senté en mi escritorio junto a un vaso de agua helada para revisar mis apuntes sobre el caso de Alan, incluyendo los pormenores de cada audiencia, para preparar mi discurso de conclusiones.

Ese discurso se brinda al cerrar el lapso de recepción de pruebas, allí se le explica al tribunal de manera detallada, clara y sucinta, los comentarios y reflexiones finales del caso, de acuerdo a lo que ocurrió durante el juicio según las múltiples declaraciones de los órganos de prueba como testigos, expertos, pruebas documentales, entre otros, finalizando con un petitorio específico. Es donde la Fiscalía solicitaría, si así lo considera, una condena y la defensa la absolución del imputado.

Me levanté de mi asiento con el fin de servirme una taza de café. Después de tomarla volví con más energía y vigor para escribir. «Guerra avisada no mata soldado, y si lo mata es por descuidado» refiere un popular refrán. Por eso, aunque tuviese mis dudas sobre el final de este juicio, era mejor estar preparado. Luego de revisar cada uno de mis anotaciones, que se limitaban, no más a dos líneas por acción importante durante las diferentes audiencias, con eso podría resumir y argumentar, lo mejor posible, al tribunal. Me acomodé mejor en mi asiento y comencé a redactar:

«Buenos días ciudadana juez, secretario, fiscal, alguacil e imputado, siendo la oportunidad legal correspondiente para efectuar las presentes conclusiones, y habiendo ya escuchado a la representación fiscal...

En mi mente, preparo mi argumento como si el fiscal hubiese solicitado, en su discurso, una sentencia condenatoria. Era lo más obvio que haría. Continúo.

... esta defensa debe manifestar como consideraciones iniciales, que en mis años como exfuncionario judicial, Defensoría Nacional de Oficio, y años que llevo ahora en el ejercicio privado del derecho, había visto un caso donde se vulnerara, de manera sistemática, tantos derechos constitucionales y legales en perjuicio de una misma persona. Específicamente, los referentes al debido proceso, derecho a la defensa y principio de presunción de inocencia. Mi defendido, el ciudadano Alan Manzano sufrió un accidente de tránsito que le produjo un trauma a nivel cráneo encefálico hace muchos años, el cual lo privó de sus facultades físicas y mentales, y a pesar de ser conocidas esas condiciones, en virtud de una denuncia temeraria y sin pruebas sobre un hecho gravísimo, ha sido tratado como un criminal culpable, al punto que lleva más de 9 años encerrado en su vivienda, sin poder salir o recibir tratamiento médico. Ni un animal en un zoológico o circo recibe este trato tan miserable y desproporcional. Y no solo me refiero al encierro, sino que fue acusado sin pruebas contundentes o pronóstico real de condena por un delito tan dantesco como es el abuso sexual...

Releo mis últimas líneas donde apelé a los sentimientos y emociones de la juez en esa breve introducción, para luego apelar al conocimiento, la razón y la lógica:

... Una vez dicho esto, debo manifestar que la Fiscalía no logró desvirtuar, a lo largo del presente juicio, el principio de presunción de inocencia que ampara a mi defendido, por cuanto existe duda razonable en todos los puntos álgidos de un caso tan complejo como este, donde se ventiló la posible comisión del delito de abuso sexual con penetración, el cual, justamente como su nombre lo indica, exige que la víctima sea penetrada por su agresor; y no fue promovido o evacuado en el presente juicio, un solo testigo o experto que pudiese dar fe, a través de un medio idóneo de esta situación. Lo más cercano a este escenario fue la exhibición para su lectura de la prueba documental evacuada en fecha 11-11-2019, referente al reconocimiento legal No. 225 efectuado a la víctima y suscrito por el doctor Cristian Ariza en su carácter de médico forense, que si bien es cierto infirió una lesión anal, la misma no individualizaba al agresor en cuestión, ya que no evidenció hallazgo alguno de evidencia de interés criminalístico como semen o apéndices pilosos que permita pensar que mi defendido fue ese agresor...

Me detuve un momento para revisar la redacción y validar los datos de los documentos con mis apuntes. Tomé otro sorbo de café, ahora más frío que tibio. Continué revisando mis apuntes para seguir con el discurso.

... por otro lado, no logró evacuarse ni siquiera un testigo presencial del hecho y los muchos referenciales que hubo, como los ciudadanos Beatriz Galindo y Juvenal Camacaro, abuelos maternos de la víctima y la ciudadana Cristina Fuentes, amiga de la denunciante, evacuados en fecha 18-09-2019, 03-10-2019 y 25-10-2019 respectivamente, no pudieron evidenciar circunstancia alguna que incriminara a Alan, por el contrario, estas mismas ciudadanas, Cristina y Beatriz, a pesar de haber estado en la vivienda donde supuestamente ocurrió el hecho, ni siquiera lograron observar al mismo o al niño sin ropa, para al menos presumir que el hecho acababa de suceder. Eso, sumado a la discrepancia respecto a las circunstancias de modo, tiempo y lugar que brindaron en sus declaraciones dos de esos testigos referenciales, específicamente el abuelo materno de la víctima, Juvenal Camacaro, quien señaló que los mismos ocurrieron en la avenida El Gran Sauce, sector Los Llorones, apartamento 3-56, La Capital, y la abuela materna Beatriz Galindo señaló que ocurrieron en la avenida Los Laureles, sector Olivo, edificio Las Carmelitas, apartamento 7C, La Capital. ¿A quién debemos creerle? circunstancias que como manifesté dejan en evidencia la duda razonable sobre la participación de mi defendido en los hechos ventilados en este caso, incluso sobre el punto respecto a ¿Dónde ocurrieron los hechos?...

Ese momento fue bastante extraño, por eso lo resaltaré en mi discurso. Por si la Fiscalía piensa obviar tan grave error. Sigo agregando los momentos discrepantes, para finalizar con una obvia solicitud de absolución:

... ahora bien, ante la ausencia de experticia física que individualice al agresor y testigos presenciales e incluso referenciales del hecho, le pido recuerde con especial atención lo manifestado por la única persona que pudiese señalar a mi defendido como su agresor sexual, me refiero a la prueba documental contentiva de la audiencia de prueba anticipada efectuada a la víctima y que fue exhibida para su lectura en fecha 20-02-2019, donde el niño Ricardo Manzano, a múltiples preguntas efectuadas por las partes e incluso el tribunal, contestó que en ningún momento su papá abusó de él, declaración que, adminiculada con la experticia y declaración de la licenciada Susana Ramírez psicóloga forense adscrita a la Policía Científica que evaluó a Ricardo y fueron evacuadas en fecha 11-03-2019 y 05-09-2019, se evidencia que el mismo no presenta estado psicológico alguno que infiera que fue víctima de un abuso sexual; pruebas que a su vez también deberían ser concatenadas con los testimonios de los expertos trabajadores sociales adscritos a Fiscalía, licenciados Antonio Barrios y Wilfredo Domínguez evacuados en fecha 02-05-2019 y 16-08-2019 que en ningún momento efectuaron hallazgo social que

criminalice la conducta de mi defendido, lo que obviamente nos permitiría asumir que Alan Manzano no pudo
haber cometido el delito en cuestión, pues no hay ni una
prueba de certeza que así lo señale o siquiera infiera y
es por ello, que le solicito respetuosamente a este tribunal que de una vez por todas acabe con esta pesadilla
que el sistema le ha hecho vivir por tanto tiempo a un
hombre que lejos de ser criminal, presenta una severa
enfermedad mental que debería ser tratada para mejorar
en la medida de las posibilidades su calidad de vida, y
declare en consecuencia una sentencia absolutoria en
favor de mi defendido, que cese de inmediato toda medida de coerción personal dictada en su contra, para así
recuperar su libertad que le fue arrebatada desde hace
tanto tiempo. Es todo».

Coloqué el punto final y me recosté sobre mi asiento. Dicho discurso no
necesité perfeccionarlo demasiado, lo escribí prácticamente desde el corazón y así quedó plasmado en el computador sin recibir mayor tipo de
modificaciones. Si algo había abundado en este caso eran las emociones y
sentimientos de todos los involucrados y, justamente, por eso le permití a
mi corazón trabajar junto a mi cerebro para escribir lo que a bien conside-
raran para buscar ponerle el cierre a esta historia.

CAPÍTULO 20
ONCEAVA CONTINUACIÓN DE JUICIO

Ya yo tenía mi plan, pero pasa que a veces la vida tiene sus propios planes. El tribunal había fijado la audiencia a las 11 de la mañana para el 7 de enero de 2020… la brisa fría que recorría sin piedad el lugar fue nada en comparación con lo que sentimos cuando la juzgadora manifestó con voz firme una decisión que sería en definitiva la que marcaría el final de este largo caso.

— ¡Buenos días a todos! Se recibió oficio número 454 de fecha 28 de diciembre del año 2019, contentivo de la ampliación del informe de experticia psiquiátrica efectuada por el médico forense Esteban Gervasio, practicado al imputado Alan Manzano, con motivo del juicio seguido en su contra por la presunta comisión del delito de abuso sexual con penetración en perjuicio del niño que responde al nombre de Ricardo Manzano, el cual establece: —Ella repite textualmente el informe ya leído en la audiencia anterior y resalta la parte ampliada por el doctor Gervasio, al terminar, queda en silencio y respira profundo para seguir diciendo— «Por lo que su juicio y raciocinio se encuentran alterados; por lo que no diferencia entre el bien y el mal. Se recomienda supervisión, guía y cuidado de familiares, ya que el consultante se encuentra discapacitado en sus funciones mentales». —La juez toma otra pausa para dejar el documento sobre el estrado y se quita los lentes antes de continuar—: Ciudadano Alan Manzano, póngase de pie, por favor. —Alan me miró pidiendo aprobación, a lo que asentí y también me puse de pie en solidaridad y apoyo a lo que diría la juez, al vernos a ambos de pie prosiguió su discurso—: Por las razones anteriormente expuestas, este tribunal de juicio declara la existencia de la causal de inimputabilidad prevista en el Código Penal en virtud de la incapacidad mental del imputado, por lo que decreta el sobreseimiento de la causa en favor del ciudadano Alan Gabriel Manzano Hernández, y acuerda de manera inmediata la libertad plena del mismo y el cese de toda medida de restricción decretada en su contra. Se exhorta a la defensa a efectuar lo conducente para canalizar a través de los familiares del mismo, el cuidado necesario y tratamiento psiquiátrico a que haya lugar. Es todo. —sentenció la juez con una voz que resonó en toda la sala de audiencia.

—¡Todos de pie por favor! —manifestó el alguacil mientras la juez Maritza Tarazona se retiraba a paso firme de la sala. No sin antes hacer contacto visual conmigo por unos segundos y continuar su paso.

El fiscal se lanzó desesperadamente hacia el puesto del secretario que aún seguía en la sala, supongo que con el fin de leer en el expediente la ampliación del informe en cuestión. Luego de unos minutos, noté que observó en mi dirección con una expresión parecida a la resignación. Se despidió con un ademán en el rostro y se fue de la sala.

Yo aun, prácticamente en shock por la decisión, también me acerqué al puesto del secretario, tomé nota textual de lo expresado en el informe y observé a su vez al secretario retirarse del recinto junto al alguacil. La sala volvió a quedarse en absoluto silencio. Como si se tratara de un cementerio. ¿Todo terminó?

— ¿Qué pasó, doctor? —Preguntó Alan con expresión de absoluto desconcierto e incertidumbre.

— Se acabó Alan, ¡eres libre! —Le expresé con una leve sonrisa mientras me quitaba la toga.

El rostro de Alan comenzó a tornarse rojo y se llenó de lágrimas. Su cara de felicidad es algo que nunca olvidaré y es un recuerdo verdaderamente especial que atesoraré para toda la vida.

— ¡Gracias, Dios! ¡Gracias, Dios! ¡Gracias, Doctor! —Repetía una y otra vez mientras me daba un gran abrazo lleno de afecto. Como quien abraza a un amigo de toda la vida, o tal vez a un hermano o un padre.

— Ahora sí podré trabajar para ayudar a mi mamá —expresó Alan sollozando. Era la primera vez que oía decir esto por parte de un recién exonerado. Sin duda se trataba de un alma noble, pensé.

Nos retiramos a las 12:37 del Palacio Judicial, con la esperanza de no volver jamás.

Todo terminó. Realmente, la vida tiene sus propios planes. Todo lo que me preparé, el discurso que hice de conclusiones para pedir la absolución de Alan, nada de eso fue necesario. Ya solo me quedaba el papeleo correspondiente para que Alan volviera a caminar libre.

Si me preguntaran, ¿defenderías a alguien acusado de abuso sexual? ¿Defenderías lo indefendible? ¿No ha quedado claro aún? Reafirmo mi posición, es un SÍ, se es inocente hasta que se demuestre lo contrario y el derecho a la defensa tiene rango constitucional y asiste a todo ciudadano sin importar si es culpable o inocente.

La predisposición y el prejuicio hacia cualquier caso trae un sesgo que no permite ver más allá. Ser un buen defensor es tener capacidad de estrategia, lógica y estudio minucioso de las actuaciones, pero, sobre todo, implica saber aprovechar las debilidades y errores de tu contraparte, que para notarlas y capitalizarlas necesitas de mucho conocimiento y vasta experiencia. Nosotros los abogados penalistas no solo defendemos al hombre o al delito, nosotros defendemos principios, garantías y leyes.

CAPÍTULO 21
EPÍLOGO

— Oliver hermano, ¿cómo estás? Mira con quien estoy. —le manifesté mientras apuntaba la cámara hacia Alan desde el interior de mi vehículo que seguía estacionado a las afueras de los tribunales.

— Oliver primo, ¿qué tal? —Saludaba Alan rápidamente con su mano derecha y evidente felicidad en su rostro.

— Hermanos, ¿cómo están? Aquí descansando en casa. Hoy tenía el día libre en el trabajo. ¿Cómo les fue en la audiencia de hoy? —Expresó amablemente Oliver.

— Te tenemos una gran noticia: ¡La juez decretó la inimputabilidad de Alan! ¡Es un hombre libre! —Digo bastante emocionado.

— No lo puedo creer Custodio. —contestó Oliver con una gran cara de felicidad.

— Yo tampoco lo podía creer, primo. —expresó Alan.

— ¡Gracias, Custodio, gracias! No sabes lo feliz que me haces. —reafirmó Oliver.

— Estamos todos felices, pero aún no es momento de celebrar. Hay que esperar a ver si el fiscal apela. Tiene cinco días para ello. —manifesté abruptamente, cortando así el momento de felicidad.

Al colgar la llamada le marqué a Lucía para también contarle la buena nueva y hablarle de la posibilidad que tenía el fiscal de apelar. Al rato, por su parte, me llamó la señora Isabel dándome las gracias. Se escuchaba emocionada.

Transcurridos los 5 días de despacho siguientes, en que me mantuve en extrema tensión y expectativa, logré verificar el expediente, donde evidencié que el fiscal no apeló.

¿Por qué el fiscal no apeló? ¿Pensaba acaso que Alan era inocente? ¿Asumió que no tenía argumentos válidos para hacerlo? ¿Qué lo llevó a no hacerlo?

Recuerdo el escenario, la juez tenía en el expediente tres experticias: una psicológica y psiquiátrica efectuada por los expertos de la Fiscalía que referían que el juicio del imputado no estaba alterado; y tenía a su vez una experticia psiquiátrica efectuada por el experto forense del Estado que referían el grave estado demencial de Alan que infería su inimputabilidad. ¿Cuál tenía más peso o valor? Realmente, ninguna.

El proceso penal acusatorio lo rige el principio de libertad de prueba, y no la prueba tarifada como alguna vez ocurrió con el sistema inquisitivo. En consecuencia, para decidir a cuál darle más valor probatorio, el juzgador tendría que recurrir a la sana crítica y con ella a las reglas de la lógica, los conocimientos científicos y máximas de experiencia. El punto álgido radicaba en que la Fiscalía no logró hacer comparecer a los expertos que efectuaron dichas experticias. En cambio, por mi parte sí logré que se evacuara la última experticia psiquiátrica efectuada por el médico forense, lo que en definitiva permitió que la balanza se inclinara a mi favor. ¿Pero y si hubiesen comparecido?

El dilema se seguiría planteando pues estaríamos en presencia de experticias que se contradicen y, la única vía para resolverlo es, como dije, la sana crítica. Claro, que el juez tendrá que motivar muy bien su decisión para explicar por qué sí consideró una prueba y por qué descartó la otra. El vicio de inmotivación podría hacer que un tribunal superior revoque la decisión del tribunal de primera instancia. Aunque, no es este el caso.

Con el paso de los meses consulté la opinión de varios amigos jueces de juicio, y se mostraron bastantes desconcertados ante la pregunta ¿Qué hubieses hecho tú como juez en este caso?, uno me refirió que se iría por la experticia de Fiscalía al ser el órgano titular de la acción penal y parte de buena fe en el proceso; otro por la del médico forense al tratarse la misma de un órgano imparcial en servicio del Estado; y otro me manifestó que convocaría a una junta médica por un nuevo ente imparcial para que efectuara otra experticia que desempatara la situación. Esta última, me pareció bastante salomónica, pero no me convence del todo la facultad que tenga un juez de juicio para hacer esto, toda vez que la ley no lo faculta expresamente ni previó este escenario. Es decir, si bien es cierto que el juez es el director del debate, no es menos cierto que dicha actitud podría considerarse «ultra petita» que significa «más allá de lo pedido», y quienes pueden pedir o solicitar pruebas son las partes, no el juez. Pero, alguien podría partir del criterio «amparado en la sana crítica», que esta acción parece válida y congruente con la finalidad del proceso, que no es otra que establecer la verdad de los hechos. En este sentido, tampoco encontré un criterio jurisprudencial que resolviera la situación.

Al día de hoy, no tengo la respuesta respecto a la visión fiscal sobre las circunstancias e interrogantes que rodearon a este caso, pero sé que algún día nos cruzaremos en un ambiente extra judicial y podremos hablar abiertamente del tema.

Alan es un hombre libre, pero me interesa aclararles que la decisión que lo permitió no fue una sentencia absolutoria o que declarara su inocencia o no culpabilidad. La juez nunca se pronunció respecto a todo lo que había ocurrido durante el juicio. No tuvo que hacerlo, ya que tomó el camino de declarar la inimputabilidad del acusado por causa de enfermedad mental y para eso solo tuvo que valorar la experticia psiquiátrica forense y el eventual informe de ampliación respecto a la misma. En retrospectiva pienso que ella misma prefirió tomar el camino más seguro o sabio, ya que condenar o absolver siempre supone una vereda mucho más complicada, sobre todo en un caso tan lleno de dudas e incertidumbres y con tantas lagunas en la investigación.

Al día de hoy pienso que, si se hubiese tenido que emanar una decisión respecto al fondo del asunto la misma debió ser absolutoria en virtud de la prácticamente nula actividad probatoria evacuada en contra de Alan. La Fiscalía hubiese tenido tal vez algo de oportunidad, si hubiese acusado en su momento por un delito menos grave y que no ameritara para su configuración la penetración anal, la cual era obvio que nunca podrían probar. Tal vez un abuso sexual sin penetración que implicaba demostrar un contacto inapropiado entre víctima y victimario. Circunstancia que vale acotar tampoco se probó del todo, pues besar a tu hijo, cargarlo y jugar con él, mal pudiese ser considerado un abuso sexual, aunque tal vez aquel supuesto beso en la boca que refirió la señora Beatriz si hubiese abierto esa puerta. Aún así, la Fiscalía prefirió ser más inquisitiva y acusó sin pruebas por el delito más grave que encontró, lanzando una moneda al aire a ver qué pasaba en el eventual juicio. El daño se hizo, logró mantener durante años encerrado a un hombre demente que necesitaba tratamiento médico. Por supuesto que toda la responsabilidad no fue de la Fiscalía, falló también la defensa en su momento, al no haber ni siquiera intentado desestimar la admisión de la acusación por el delito en cuestión durante la audiencia preliminar y, por supuesto, el sistema de justicia que permitió un retardo procesal de esta magnitud.

Alan encuentra la libertad en virtud de un examen psiquiátrico forense que declaró su incapacidad mental y eventual inimputabilidad. Hacer las cosas a tiempo, como solicitar el día de la apertura una nueva prueba y hacerle seguimiento personalmente a la cita psiquiátrica, para luego hacer la consignación de los antecedentes médicos de Alan. Pero lo más importante fue estar preocupado realmente por la actualización del informe suscrito por quien fue su médico tratante, doctor Francisco Rojas, quien es reconocido a nivel nacional, y por eso, estoy convencido que el forense se apoyó profundamente en su diagnóstico y criterio médico. Es más, si hubiese perdido tiempo, quizás no se logra todo lo que se hizo, pues, lamentablemente, el doctor Rojas falleció meses después de una enfermedad pulmonar. Cada segundo contó.

Creo que siempre uno debe ir más allá, para hacer y lograr que las cosas verdaderamente sucedan, pues en ese esfuerzo extra podría estar la diferencia entre un hombre privado de libertad o excarcelado. En definitiva, todo salió bien para Alan, no por lo que hice al final, sino por lo que hice al inicio. Incluso, desde el día que me contrataron, donde por pocos minutos logré evitar que revocaran la medida cautelar de arresto domiciliario, y lo hice justamente porque nunca di nada por sentado ni me avoqué a un solo camino, ese pudo haber sido un gran error, el de enfocarme solo en demostrar su inocencia y olvidarme de su condición psiquiátrica. Esta acción nadie se la esperaba, y fue por eso, que se logró el tan ansiado «jaque mate» en este caso.

Si llevo todo esto al plano religioso o espiritual, podemos también analizar y observar, desde la óptica en que la observó Alan cuando supo que era un hombre libre en la sala de audiencia, específicamente cuando gritó «Gracias Dios». Es posible que Dios me haya utilizado como instrumento para ayudar a uno de sus hijos que era víctima de una injusticia en la tierra. Tal vez suene descabellado para alguno leer esta hipótesis, pero con el paso del tiempo y las experiencias vividas puedo decir con propiedad que sí es posible, que el bien y el mal existen, uno representado por Dios y la luz, y el otro por el diablo y la oscuridad, y en el campo del derecho penal hay mucho de ambos mundos, donde si no te proteges desde este punto de vista, puedes perecer o perderte en el arduo camino.

A Alan no lo he vuelto a ver, sin embargo, al menos una vez al mes o cada dos meses me escribe o llama para saludarme y agradecerme, aun cuando sus familiares le dicen que no me moleste. Yo siempre le respondo con cariño y afecto, le aseguro que no me molesta que me llame, más bien me alegra mucho saber de él, exhortándolo además a que se cuide y obedezca a sus padres. Obviamente, por su condición, no está trabajando como soñó, pero sí está recibiendo su tratamiento médico que lo estabiliza y tranquiliza bastante. Sus familiares me cuentan que no ha vuelto a tener ataques depresivos o suicidas, y que vive en completa austeridad al punto que le regala a otros sus propios bienes, pero lo que más me llamó la atención fue saber que siempre está corriendo o trotando, que trata de ejercitarse cada día con el fin de convertirse en «un gran atleta». Todas las mañanas tiene la misma rutina, se levanta, desayuna, toma una de sus múltiples pastillas, las cuales lleva a todos lados en un pequeño bolso negro que carga, y luego se va a un polideportivo cercano a correr al mejor estilo de *Forrest Gump*. ¿Recuerdan a ese carismático personaje? «La vida es como una caja de bombones, nunca sabes lo que te va a tocar». Me gusta pensar que es feliz o que al menos llegará a serlo algún día.

Yo sigo en lo mío, estudiando y trabajando mucho, asumiendo nuevos retos, abocado a mi mundo jurídico y tratando de incidir de manera positiva en la vida de mis clientes, alumnos, la sociedad y, por supuesto, en la búsqueda de la construcción de un nuevo y mejor sistema de justicia. A veces resulta utópico si quiera pensarlo, pero prefiero vivir con esa esperanza que con la certeza de que todo está perdido y no hay nada más por hacer.

Toc, toc.

Alguien golpea la puerta de mi oficina, es una señora morena, de estatura baja y largo cabello negro sujetado con una pañoleta; lleva un largo y ancho vestido floreado con alpargatas marrones. Parece ser una mujer del campo. Carga en su mano una biblia, un rosario y lo que parece ser mi tarjeta de presentación algo arrugada, su rostro refleja profunda tristeza y evidente desesperación. «Buenas tardes. ¿Es usted el doctor José Custodio?, vengo desde muy lejos. El párroco de mi pueblo me dijo que lo buscara. Mi hijo está acusado de matar a un hombre y necesito urgentemente que usted lo defienda. Él si lo hizo, pero estando poseído por un demonio».

FIN.

Made in the USA
Columbia, SC
06 March 2025

54716124R00090